昌明文庫‧悅讀經典 ≡

一‧生‧必‧讀‧的

中外經典名著

法學卷

劉上洋—主編　陳東有—副主編

鄧輝—選編

前言
FOREWORD

●●●

　　學習是文明傳承之途、人生成長之梯、政黨鞏固之基、國家興盛之要。我們黨歷來重視和善於學習。建設馬克思主義學習型政黨，是黨的十七屆四中全會提出的一項重大戰略任務，是黨中央從當前世情、國情、黨情出發，進一步動員全黨加強學習、開拓奮進的重大舉措。胡錦濤總書記在「七一」講話中，對建設學習型政黨又提出了新的希望和要求，強調「全體黨員、幹部都要把學習作為一種精神追求」，「真正做到學以立德、學以增智、學以創業」。一個黨員只有不斷地通過讀書豐富和完善自己的理論知識，汲取人類源源不盡的智慧精華，才能提升自身的素質與修養，才能不斷適應新形勢、新要求，才能在新的歷史起點上開闢事業發展的新境界。

　　知識永無止境，書籍浩如煙海。要在有限的時間裏通過讀書學習獲取最大的收穫，就要在讀書學習時做到有所選擇、有所取捨。只有選取那些劃時代的經典著作，特別是那些能夠啟動感性、啟發知性、錘鍊理性的經典名篇進行重點閱讀，才能收到事半功倍的效果。大浪淘沙，真金自見。經過歷史檢驗而巍然存世的經典名篇是古今中外的文化精華，是人類智慧的結晶。這些傳世之作歷久彌新，蘊涵著大量的治政理念、法治精神、哲學思考、經濟思想、文學精髓、歷史規律、科技知識和藝術感悟等，是我們取之不盡、用之不竭的文化源泉。閱

讀這些經典名篇，既能使我們博採眾長，不斷增加知識儲備，又能使我們產生思想上的共振共鳴，得到精神上的愉悅享受。

為此，省委宣傳部組織編輯出版了這套黨員幹部閱讀系列叢書。該套叢書共分為政治卷、哲學卷、經濟卷、歷史卷、法律卷、文學卷、科技卷、藝術卷 8 卷，從古今中外浩繁的書籍中遴選了部分具有啟迪、普及意義的經典名篇，以滿足全省廣大黨員幹部對高品位、高品質、多學科經典著作的閱讀需要。同時，也藉此在全社會大興讀書學習之風，推動各級黨組織形成愛讀書、樂讀書、讀好書、善讀書的良好風氣，促進全省學習型黨組織建設活動廣泛深入地開展，使廣大黨員幹部更好地適應時代和社會發展的需要，為實現江西科學發展、進位趕超、綠色崛起貢獻智慧和力量。

2011 年 10 月 13 日

＊編按：本文原刊《讀精品・品經典・法學卷》之〈前言〉。

目錄
CONTENTS
● ● ●

第一篇　法與國家

馬克思・民主制是國家形式的真理 ● 001

恩格斯・國家與氏族的不同 ● 006

毛澤東・新民主主義憲政的促進 ● 009

柏拉圖・洞穴比喻 ● 013

亞里斯多德・多數人執政與少數人執政 ● 017

西塞羅・法律根植於理性 ● 020

阿奎那・各種類型的法 ● 023

馬基雅維利・論市民的君主國 ● 027

洛克・個人的權力 ● 031

孟德斯鳩・國家的三種權力 ● 035

邊沁・最高權力制定法律的權利 ● 039

漢密爾頓、傑伊、麥迪森・防備權力的擴張 ● 043

黑格爾・意志的純無規定性 ● 047

托克維爾・美國社會從民主政府獲得的真正好處 ● 050

密爾・理想上最好的政府形式 ● 054

戴雪・憲法與憲典之區分 ● 058

卡多佐・司法過程的四種方法 ● 062

凱爾森・法律秩序的基礎規範　　　　　　　065

丹寧勳爵・侮辱法庭　　　　　　　　　　069

伯爾曼・路德主義對法律的影響　　　　　　072

羅爾斯・正義的兩個原則　　　　　　　　075

張君勱・治者與被治者　　　　　　　　　079

龔祥瑞・憲法的作用　　　　　　　　　　082

擴展閱讀　　　　　　　　　　　　　　　086

第二篇　法與人權

馬克思・論猶太人問題　　　　　　　　　089

耶林・為權利而鬥爭　　　　　　　　　　095

貝卡利亞・刑訊　　　　　　　　　　　　107

伯恩斯・法律上的同等保護：什麼含義　　　112

詹寧斯・集會自由　　　　　　　　　　　118

伯林・兩種自由概念　　　　　　　　　　124

大須賀明・環境權與利益衡量　　　　　　131

唐納利・人權的來源　　　　　　　　　　137

艾倫・剩餘自由與基本自由　　　　　　　142

弗萊納・學校和教育中的人權　　　　　　149

拉茲・抵抗權？II.良心抵抗　　　　　　　154

波爾・婦女的權利：婦女的利益？　　　　162

蕭公權・說言論自由　　　　　　　　　　　　　　　168

擴展閱讀　　　　　　　　　　　　　　　　　　　172

第三篇　法與社會

盧梭・論沒有一種政府形式適宜於一切國家　　　175

西耶斯・論特權　　　　　　　　　　　　　　　181

韋伯・法律形式主義的意義及其一般條件　　　　186

埃得希・法律的實用觀念　　　　　　　　　　　191

龐德・文明和社會控制　　　　　　　　　　　　197

克拉馬德雷・司法與政治：判決與情感　　　　　202

富勒・法律作為有目的的事業和法律作為社會力量的表現事實　207

伯爾曼・一種世界秩序發展中的法律與宗教　　212

福柯・懲罰的溫和方式　　　　　　　　　　　　216

諾內特、塞爾茲尼克・回應型法　　　　　　　　222

昂格爾・超越現代社會的法律：兩種可能性　　226

埃里克森・無需法律的秩序　　　　　　　　　　231

費孝通・無訟　　　　　　　　　　　　　　　　237

瞿同祖・儒家思想與法家思想　　　　　　　　　241

擴展閱讀　　　　　　　　　　　　　　　　　　245

第四篇　法與經濟

馬克思・商品交換與平等自由　　　　　　　　　　● 249

哈耶克・經濟政策與法治　　　　　　　　　　　　● 254

科斯・產權、市場與法律　　　　　　　　　　　　● 258

羅爾斯・分配正義的背景制度　　　　　　　　　　● 263

薩繆爾森・市場失靈、政府管制與法治　　　　　　● 267

布坎南・徵稅權與憲法　　　　　　　　　　　　　● 271

諾思・合約實施的制度演進　　　　　　　　　　　● 275

波斯納・刑罰的經濟分析　　　　　　　　　　　　● 279

柯武剛、史漫飛・制度何以重要　　　　　　　　　● 284

陳志武・政府窮民間富催生民主與法治　　　　　　● 288

擴展閱讀　　　　　　　　　　　　　　　　　　　● 292

一 ⋯ 法與國家

馬克思 ●●●
民主制是國家形式的真理

　　民主制是君主制的真理，君主制卻不是民主制的真理。君主制必然是本身不徹底的民主制，而君主環節卻不是作為民主制的不徹底性而存在著。從君主制本身不能瞭解君主制，但是從民主制本身可以瞭解民主制。在民主制中任何一個環節都不具有本身意義以外的意義。每一個環節都是全體民眾的現實的環節。在君主制中則是部分決定整體的性質。在這裏，整個國家制度都不得不去迎合固定不動的那一點。民主制是作為類概念的國家制度。君主制則只是國家制度的一種，並且是不好的一種。民主制是內容和形式，君主制似乎只是形式，而實際上它在偽造內容。

　　在君主制中，整體，即人民，從屬於他們存在的一種方式，即他們的政治制度。在民主制中，國家制度本身就是一個規定，即人民的自我規定。在君主制中是國家制度的人民；在民主制中則是人民的國

家制度。民主制是國家制度一切形式的猜破了的啞謎。在這裏，國家制度不僅就其本質說來是自在的，而且就其存在、就其現實性說來也日益趨向於自己的現實的基礎、現實的人、現實的人民，並確定為人民自己的事情。國家制度在這裏表現出它的本來面目，即人的自由產物。也許有人會說，在一定意義上，這對於君主立憲制也是正確的。然而民主制獨有的特點，就是國家制度無論如何只是人民存在的環節，政治制度本身在這裏不能組成國家。

黑格爾從國家出發，把人變成主體化的國家。民主制從人出發，把國家變成客體化的人。正如同不是宗教創造人而是人創造宗教一樣，不是國家制度創造人民，而是人民創造國家制度。在一定的意義上說，民主制對其它一切國家形式的關係，正如同基督教對其它一切宗教的關係一樣。基督教是道地的宗教，是宗教的實質，是作為特殊宗教的神化了的人。民主制也是一樣，它是一切國家制度的實質，是作為國家制度特殊形式的社會化了的人。它對國家制度其它一切形式的關係，正好像類對自己的各個種的關係一樣。然而在這裏類本身也表現為一個存在物，所以對其它不適合於自己的實質的存在形式說來，它自己就是一個特殊的種。民主制對其它一切國家形式的關係就像對自己的舊約全書的關係一樣。在民主制中，不是人為法律而存在，而是法律為人而存在；在這裏人的存在就是法律，而在國家制度的其它形式中，人卻是法律規定的存在。民主制的基本特點就是這樣。

其它一切國家結構都是某種確定的特殊的國家形式。而在民主制中，形式的原則同時也是物質的原則。因此，只有民主制才是普遍和

特殊的真正統一。例如，在君主制中，或者在僅僅被看作特殊國家形式的共和制中，政治的人同非政治的私人一樣具有自己的特殊的存在。財產、契約、婚姻、市民社會在這裏和政治國家一樣表現為（黑格爾對這些抽象的國家形式做的這種證明是完全正確的，可是他同時卻認為他是在發展國家的理念）特殊的存在方式，表現為一種內容，對這種內容說來政治國家是一種組織形式，正確地說，只是一種在規定、在限制、時而在肯定、時而在否定、但本身沒有任何內容的理智。在民主制中，同這種內容一起形成而又有別於這種內容的政治國家，對人民說來，本身只是人民的特殊內容和人民的特殊存在形式。例如在君主制中，這一特殊物（即政治制度）具有規定和管轄一切特殊物的普遍物的意義。在民主制中，作為特殊環節的國家就只是特殊環節，而作為普遍物的國家就真的是普遍物，就是說，國家不是某種不同於其它內容的特定的內容。現代的法國人對這一點是這樣瞭解的：在真正的民主制中政治國家就消失了。這可以說是正確的，因為在民主制中，政治國家本身，作為一個國家制度，已經不是一個整體了。

在一切不同於民主制的國家形式中，國家、法律、國家制度是統治因素，但國家並沒有真正在統治，就是說，並沒有從物質上貫串在其它非政治的領域中。在民主制中，國家制度、法律、國家本身都只是人民的自我規定和特定內容，因為國家就是一種政治制度。

可是，一切國家形式在民主制中都有自己的真理，正因為這樣，所以它們有幾分不同於民主制，就有幾分不是真理，這是一目了然的。

　　在古代國家中，政治國家就是國家的內容，其它的領域都不包含在內，而現代的國家則是政治國家和非政治國家的相互適應。

　　在民主制中，抽象的國家不再是統治因素。君主制同共和制之間的爭論始終都是抽象的國家範圍內的爭論。政治的共和制是抽象的國家形式範圍內的民主制。因此，共和制是民主制的抽象的國家形式，但這時共和制已不再僅僅是政治制度了。

（節選自馬克思著，《黑格爾法哲學批判》，《馬克思恩格斯全集》第1卷，人民出版社 1956 年版）

編選說明 ● ● ●

　　本篇選自馬克思（Karl Marx，1818—1883）的《黑格爾法哲學批判》。《黑格爾法哲學批判》是馬克思的一本早期著作，馬克思批判黑格爾哲學的第一部著作。1843 年夏天寫於萊茵省的克羅茨納赫，故又稱《克羅茨納赫手稿》。這部著作是對黑格爾《法哲學原理》闡述國家問題的部分所作的分析和批判。在這部手稿中，馬克思批判黑格爾把市民社會從屬於政治國家的觀點，得出了市民社會決定政治國家的著名結論；批判了黑格爾主張君主、官僚決定國家制度的英雄史觀，闡明了人民創造國家的思想；批判了黑格爾在國家發展問題上否認有質變的緩慢進化論，提出必須經過真正的革命來建立新國家的觀點。在摘錄的文章中，馬克思認為民主制才是正確的政治制度。閱讀這些段落，瞭解馬克思的民主思想，認清民主制的實質，對把馬克思

的民主思想與我國的社會實踐相結合，發展中國社會主義民主建設大有裨益。

恩格斯

● ● ●

國家與氏族的不同

　　國家和舊的氏族組織不同的地方，第一點就是它按地區來劃分它的國民。正如我們所看到的，由血緣關係形成和聯結起來的舊的氏族公社已經很不夠了，這多半是因為它們是以氏族成員被束縛在一定地區為前提的，而這種束縛早已不復存在。地區依然，但人們已經是流動的了。因此，按地區來劃分就被作為出發點，並允許公民在他們居住的地方實現他們的公共權利和義務，不管他們屬於哪一氏族或哪一部落。這種按照居住地組織國民的辦法是一切國家共同的。因此，我們才覺得這種辦法很自然；但是我們已經看到，當它在雅典和羅馬能夠按血族來組織的舊辦法以前，曾經需要進行多麼頑強而長久的鬥爭。

　　第二個不同點，是公共權力的設立，這種公共權力已經不再直接就是自己組織為武裝力量的居民了。這個特殊的公共權力之所以需要，是因為自從社會分裂為階級以後，居民的自動的武裝組織已經成為不可能了。奴隸也包括在居民以內；9 萬雅典公民，對於 365000 奴隸來說，只是一個特權階級。雅典民主制的國民軍，是一種貴族的、用來對付奴隸的公共權力，它控制奴隸使之服從；但是如前所述，為了也控制公民使之服從，憲兵隊也成為必要了。這種公共權力在每一個國家裏都存在。構成這種權力的，不僅有武裝的人，而且還

有物質的附屬物，如監獄和各種強制設施，這些東西都是以前的氏族社會所沒有的。在階級對立還沒有發展起來的社會和偏遠的地區，這種公共權力可能極其微小，幾乎是若有若無的，像有時在美利堅合眾國的某些地方所看到的那樣。但是，隨著國內階級對立的尖銳化，隨著彼此相鄰的各國的擴大和它們人口的增加，公共權力就日益加強。就拿我們今天的歐洲來看吧，在這裏，階級鬥爭和爭相霸佔已經把公共權力提升到大有吞食整個社會甚至吞食國家之勢的高度。

為了維持這種公共權力，就需要公民繳納費用——捐稅。捐稅是以前的氏族社會完全沒有的。但是現在我們卻十分熟悉它了。隨著文明時代的向前進展，甚至捐稅也不夠了；國家就發行期票，借債，即發行公債。關於這點，老歐洲也已經屢見不鮮了。

官吏既然掌握著公共權力和徵稅權，他們就作為社會機會而凌駕於社會之上。從前人們對於氏族制度的機關的那種自由的、自願的尊敬，即使他們能夠獲得，也不能使他們滿足了；他們作為同社會相異化的力量的代表，必須用特別的法律來取得尊敬，憑藉這種法律，他們享有了特殊神聖和不可侵犯的地位。文明國家的一個最微不足道的員警，都擁有比氏族社會的全部機構加在一起還要大的「權威」；但是文明時代最有勢力的王公和最偉大的國家要人或統帥，也可能要羨慕最平凡的氏族酋長所享有的，不是用強迫手段獲得的，無可爭辯的尊敬。後者是站在社會之中，而前者卻不得不企圖成為一種處於社會之外和社會之上的東西。

（節選自恩格斯著，中共中央馬克思恩格斯列寧斯大林著作編譯局譯《家庭、私有制和國家的起源》，人民出版社 1999 年版）

編選說明 ●●●

　　本篇選自恩格斯（Friedrich Von Engels，1820—1895）的《家庭、私有制和國家的起源》一書，該書是一部關於古代社會發展規律和國家起源的著作，是馬克思主義國家學說的代表作之一。馬克思去世後，恩格斯在整理馬克思的手稿時，發現馬克思對路易士・亨利・摩爾根的著作《古代社會》所做的摘要和批語，恩格斯研究後認為有必要撰寫一部專門的著作闡述唯物主義的歷史觀。恩格斯根據摩爾根對美洲印第安人社會的研究，補充他本人對古代羅馬、希臘和日爾曼人社會的研究材料，論述了人類早期原始社會階段和奴隸社會早期國家形成的歷史，後來科學考古的發現也證明了恩格斯的基本論點是正確的。

毛澤東

新民主主義憲政的促進

　　什麼是新民主主義的憲政呢？就是幾個革命階級聯合起來對於漢奸反動派的專政。從前有人說過一句話，說是「有飯大家吃」。我想這可以比喻新民主主義。既然有飯大家吃，就不能由一黨一派一階級來專政。講得最好的是孫中山先生在《中國國民黨第一次全國代表大會宣言》裏的話。那個宣言說：「近世各國所謂民權制度，往往為資產階級所專有，適成為壓迫平民之工具。若國民黨之民權主義，則為一般平民所共有，非少數人所得而私也。」同志們，我們研究憲政，各種書都要看，但尤其要看的，是這篇宣言，這篇宣言中的上述幾句話，應該熟讀而牢記之。「為一般平民所共有，非少數人所得而私」，就是我們所說的新民主主義憲政的具體內容，就是幾個革命階級聯合起來對於漢奸反動派的民主專政，就是今天我們所要的憲政。這樣的憲政也就是抗日統一戰線的憲政。

　　我們今天開的這個會，叫做憲政促進會。為什麼要「促進」呢？如果大家都在進，就用不著促了。我們辛辛苦苦地來開會，是為了什麼呢？就是因為有些人，他們不進，躺著不動，不肯進步。他們不但不進，而且要向後倒退。你叫他進，他就死也不肯進，這些人叫做頑固分子。頑固到沒有辦法，所以我們就要開大會，「促」他一番。這個「促」字是那裏來的呢？是誰發明的呢？這不是我們發明的，是

一個偉大人物發明的，就是那位講「余致力國民革命凡四十年」的老先生發明的，是孫中山先生發明的。你們看，在他的那個遺囑上面，不是寫著「最近主張開國民會議……，尤須於最短期間『促』其實現，是所至囑」嗎？同志們，這個「囑」不是普通的「囑」，而是「至囑」。「至囑」者，非常之囑也，豈容隨隨便便，置之不顧！說的是「最短期間」，一不是最長，二不是較長，三也不是普通的短，而是「最短」。要使國民會議在最短期間實現，就要「促」。孫先生死了十五年了，他主張的國民會議至今沒有開。天天鬧訓政，把時間糊裏糊塗地鬧掉了，把一個最短期間，變成了最長期間，還口口聲聲假託孫先生。孫先生在天之靈，直不知怎樣責備這些不肖子孫呢？現在的事情很明白，不促是一定不會進的，很多的人在倒退，很多的人還不覺悟，所以要「促」。

因為不進，就要促。因為進得慢，就要促。於是乎我們就大開促進會。青年憲政促進會呀，婦女憲政促進會呀，工人憲政促進會呀，各學校各機關各部隊的憲政促進會呀，蓬蓬勃勃，辦得很好。今天我們再開一個總促進會，群起而促之，為的是要使憲政快些實行，為的是要快些實行孫先生的遺教。

有人說，他們在各地，你們在延安，你們要促，他們不聽，有什麼作用呢？有作用的。因為事情在發展，他們不得不聽。我們多開會，多寫文章，多做演說，多打電報，人家不聽也不行。我以為我們延安的許多促進會，有兩個意義。一是研究，二是推動。為什麼要研究呢？他們不進，你就促他，他若問你：為什麼促我呢？這樣，我們就得答覆問題。為了答覆問題，就得好好研究一下憲政的道理。剛才

吳老同志講了許多，這些就是道理。各學校，各機關，各部隊，各界人民，都要研究當前憲政問題。

我們有了研究，就好推動人家。推動就是「促進」，向各方面都推他一下，各方面就會逐漸地動起來。然後匯合很多小流，成一條大河，把一切腐朽黑暗的東西都沖洗乾淨，新民主主義的憲政就出來了。這種推動作用，將是很大的。延安的舉動，不能不影響全國。

同志們，你們以為會一開，電報一打，頑固分子就不得了了嗎？他們就向前進步了嗎？他們就服從我們的命令了嗎？不，他們不會那麼容易聽話的。有很多的頑固分子，他們是頑固專門學校畢業的。他們今天頑固，明天頑固，後天還是頑固。什麼叫頑固？固者硬也，頑者，今天、明天、後天都不進步之謂也。這樣的人，就叫做頑固分子。要使這樣的頑固分子聽我們的話，不是一件容易的事情。

（節選自毛澤東：《新民主主義的憲政》，載《毛澤東選集》第二卷，

人民出版社 1968 年版）

編選説明 ● ● ●

該篇選自毛澤東（1893—1976）的《新民主主義憲政》，毛澤東法律方面的文章主要有《新民主主義憲政》、《論聯合政府》和《論人民民主專政》。此文寫於 1940 年，是毛澤東在延安各界憲政促進會成立大會上的演説。這時，中國共產黨內有一些同志為蔣介石的所謂實行憲政的欺騙宣傳所迷惑，以為國民黨或者真的會實行憲政。毛

澤東在這個演説裏揭露了蔣介石這種欺騙，將促進憲政變為啟發人民覺悟，向蔣介石要求民主自由的一個武器。毛澤東首先分析了什麼是真正的憲政，闡述了當時的中國需要的是新民主主義憲政。最後他表達了對新民主主義憲政最終實現的信心。

柏拉圖

洞穴比喻

　　蘇：接下來讓我們把受過教育的人與沒受過教育的人的本質比作下述情形。讓我們想像一個洞穴式的地下室，它有一長長通道通向外面，可讓和洞穴一樣寬的一路亮光照進來。有一些人從小就住在這洞穴裏，頭頸和腿腳都綁著，不能走動也不能轉頭，只能向前看著洞穴後壁。讓我們再想像在他們背後遠處高些的地方有東西燃燒著發出火光。在火光和這些被囚禁者之間，在洞外上面有一條路。沿著路邊已築有一帶矮牆。矮牆的作用像傀儡戲演員在自己和觀眾之間設的一道屏障，他們把木偶舉到屏障上頭去表演。

　　格：我看見了。

　　蘇：接下來讓我們想像有一些人拿著各種器物舉過牆頭，從牆後面走過，有的還舉著用木料、石料或其它材料製作的假人和假獸。而這些過路人，你可以料到有的在說話，有的不在說話。

　　格：你說的是一個奇特的比喻和一些奇特的囚徒。

　　蘇：不，他們是一些和我們一樣的人。你且說說看，你認為這些囚徒除了火光投射到他們對面洞壁上的陰影而外，他們還能看到自己的或同伴們的什麼呢？

　　格：如果他們一輩子頭頸被限制了不能轉動，他們又怎樣能看到別的什麼呢？

蘇：那麼，後面路上人舉著過去的東西，除了它們的陰影而外，囚徒們能看到它們別的什麼嗎，

格：當然不能。

蘇：那麼，如果囚徒們能彼此交談，你不認為，他們會斷定，他們在講自己所看到的陰影時是在講真物本身嗎？

格：必定如此。

蘇：又，如果一個過路人發出聲音，引起囚徒對面洞壁的回聲，你不認為，囚徒們會斷定，這是他們對面洞壁上移動的陰影發出的嗎？

格：他們一定會這樣斷定的。

蘇；因此無疑，這種人不會想到，上述事物除陰影而外還有什麼別的實在。

格：無疑的。

蘇：那麼，請設想一下，如果他們被解除禁錮，矯正迷誤，你認為這時他們會怎樣呢？如果真的發生如下的事情：其中有一人被解除了桎梏，被迫突然站了起來，轉頭環視，走動，抬頭看望火光，你認為這時他會怎樣呢？他在做這些動作時會感覺痛苦的，並且，由於眼花繚亂，他無法看見那些他原來只看見其陰影的實物。如果有人告訴他，說他過去慣常看到的全然是虛假，如今他由於被扭向了比較真實的器物，比較地接近了實在，所見比較真實了，你認為他聽了這話會說些什麼呢？如果再有人把牆頭上過去的每一器物指給他看，並且逼他說出那是些什麼，你不認為，這時他會不知說什麼是好，並且認為他過去所看到的陰影比現在所看到的實物更真實嗎？

格：更真實得多呀！

蘇：如果他被迫看火光本身，他的眼睛會感到痛苦，他會轉身走開，仍舊逃向那些他能夠看清而且確實認為比人家所指示的實物還更清楚更實在的影像的。不是嗎？

⋯⋯

蘇：親愛的格勞孔，現在我們必須把這個比喻整個兒地應用到前面講過的事情上去，把地下囚室比喻可見世界，把火光比喻太陽的能力。如果你把從地穴到上面世界並在上面看到的東西的上陞過程和靈魂上陞到可知世界的上陞過程聯想起來，你就領會對了我的這一解釋了，既然你急於要聽我的解釋。至於這一解釋本身是不是對，這是只有神知道的。但是無論如何，我覺得，在可知世界中最後看見的，而且是要花很大的努力才能最後看見的東西乃是善的理念。我們一旦看見了它，就必定能得出下述結論：它的確就是一切事物中一切正確者和美者原因，就是可見世界中創造光和光源者。在可理知世界中它本身就是真理和理性的決定性源泉；任何人凡能在私人生活或公共生活中行事合乎理性的，必定是看見了善的理念的。

（節選自〔古希臘〕柏拉圖著，郭斌和、張竹明譯《理想國》，商務印書館 1986 年版）

編選說明 ●●●

柏拉圖（Plato，約前 427—前 347），原名為亞里斯多克勒斯，

古希臘偉大的哲學家，也是全部西方哲學乃至整個西方文化最偉大的哲學家和思想家之一。曾在雅典城外西北郊的聖城阿卡德米創立了自己的學校──阿卡德米學園。柏拉圖一生著述頗豐，其哲學、政治思想主要集中在《理想國》、《政治家》和《法律篇》中。

　　《理想國》是古希臘著名哲學家柏拉圖重要的對話體著作之一。一般認為屬於柏拉圖的中期對話，本書分為十卷。在柏拉圖的著作中，不僅篇幅最長，而且內容十分豐富，涉及其哲學的各個方面，尤其對他的政治哲學、認識論等有詳細的討論。

亞里斯多德

多數人執政與少數人執政

　　其餘的問題且待另行論述。看來，由多數人執政勝過由少數最優秀的人執政，這雖說也有一些疑問，但還是真實可取的。因為在多數人中，儘管並非人人都是賢良之士，他們聚集在一起也有可能優於少數人——當然不是就每一個人而論，而是就集合體而論，好比由眾人集資操辦的宴席較之於由一人出資的宴席。因為，眾人中的每一成員都部分地具有德性與明智，當他們聚到一起時，眾人就彷彿成了一人，多手多足，兼具多種感覺，在習性和思想方面也是不拘一格。因此多數人對音樂和詩歌的評價要強於少數人的評價，因為這個人懂一部分，那個人懂另一部分，合起來所有人就能懂所有的部分。賢良之人之所以出類拔萃，就在於每人都集眾人之長於一身，恰如被稱為美的事物勝於不美的事物，藝術的產物勝於真實的事物，因為它們彙集孤立存在的要素於一體，儘管分開來看，一幅畫像中人物的眼睛或其它某個部分可能會不如另外某個人的眼睛或其它相應的部分。

　　誠然，眾人與少數賢良之人的這種差別是否為一切平民或群眾團體所具有尚難定論；然而神明為證，這在某些團體中是不可能的；（因為對於獸類也可以運用同樣的論證，有些人群與獸群又有什麼實質上的不同呢？）不過，這並不妨礙我們所作的論斷對某一類團體為真。因此，通過以上的論述就可以解答前面提到的問題以及隨之而來

的一個問題：公民中的自由人和大量群眾應該享有什麼樣的權利？這些人既無財產亦無值得一提的德性。讓這樣的人出任最高的職位是很不保險的，因為他們的不公正和愚昧必定會導致罪行和錯誤。然而把他們撇在一邊也會出很大的麻煩，一旦有過多的人被排斥於公職之外，城邦中就會遍地都是公敵。惟一的解救辦法是讓他們參與議事和審判事務。正是由於這個原因，梭倫以及其它的某些立法者委用群眾選舉官員和監督行政官員，但不允許他們單獨為官。所有人聚集到一起時，能夠有充分的感知能力，再與較高級的職位相結合，自然有益於城邦，正如不精純的食物與精純的食物相混合，整體上就會比少量的精純食物更加有益於身體；然而分成單獨的個人，其判斷能力就要大打折扣。

　　……

　　有人會認為，這樣一來就圓滿解決了上述的疑難，但接下來還會有另一疑難。因為素質較差的人竟然比賢良之人擁有更大的權力顯得有些荒唐，畢竟選舉和監督官員是最重大的事情。而正如我們所說，有些政體便把這樣的大事委派給平民大眾，因為公民大會在所有這些事情上擁有最高的裁決權。而且，人們不問年齡，只需具備微薄的一份財產，就可以列席公民大會，參與議事和審判事務；不過那些最重要的官職，如財政官員或將軍，仍有極高的財產要求。不過可以用同樣的方式來解答這一疑難；所有的這類做法大致上都是正確的。因為權力並不掌握在陪審員、議事人員或公民大會的成員手裏，而是掌握在公審法庭、議事會或平民大眾的手裏，每一成員只不過是這些整體中的一個部分而已。由於這個原因，讓多數人持有更大的權力是合乎

公道的，因為平民大眾、議事會、公審法庭是由許多人組成的，他們的財產全部加在一起就會比某一個或少數幾個擔任最高官職的巨富的財產還要多。關於這個問題就作這麼多規定。

（節選自〔古希臘〕亞里斯多德著，顏一、秦典華譯《政治學》，中國人民大學出版社 2007 年版）

編選説明 ● ● ●

亞里斯多德（Aristotle，前 384—前 322），古希臘斯吉塔拉人。公元前 335 年，他在雅典辦了一所叫呂克昂的學校，被稱為逍遙學派。亞里斯多德一生勤奮治學，從事的學術研究涉及倫理學、物理學、政治學、經濟學等，寫下了大量的著作，主要有《工具論》、《形而上學》、《物理學》、《倫理學》、《政治學》和《詩學》等。

《政治學》是古希臘思想家最重要的政治學論著，成書於公元前 326 年。亞里斯多德從人是天然的政治動物這一前提出發，對城邦的目的、家庭及政體等作了深入而細緻的分析。該書在對 100 多個城邦政制分析比較的基礎上，系統論述了什麼是對公民最好的國家。

西塞羅

法律根植於理性

　　昆：兄弟，就請按你願做的那樣，深入探求、尋找那真正的源泉，發現我們所追尋的目標。那些以任何其它方式教授市民法的人所教的不過是訴訟的途徑，而不是正義的途徑。

　　馬：這你就錯了，昆圖斯，因為只是對法律的無知而不是有知才導致了訴訟。但這一點後面再談；現在讓我們來探索正義之本源。

　　最博學的人們決定從法律開始，而且如果根據他們的界定——法律是根植於自然的、指揮應然行為並禁止相反行為的最高理性（reason），那麼看來他們是正確的。這一理性，當它在人類的意識中牢固確定並完全展開後，就是法律。因此，他們認為法律就是智識，其自然功能就是指揮（command）正確行為並禁止錯誤行為。他們認為這一特性的名稱在希臘來源於使每人各得其所的觀念，而在我們的語言中，我認為它是根據選擇這一觀念而得名的。因為當他們將公平的觀念歸於法律這個詞時，我們也就給了法律以選擇的觀念，儘管這兩種觀念都恰當地屬於法律。如果這是正確的——因為我認為一般來說是正確的——那麼正義的來源就應在法律中發現，因為法律是一種自然力；它是聰明人的理智和理性，是衡量正義和非正義的標準。但由於我們的全部討論都必定與民眾的推理有關，有時它就必須以民眾的方式來談論，並將以成文形式頒佈——命令或禁止——的任何其所

希望的東西稱之為法律。因為這就是老百姓對法律的界定。但在確定正義是什麼的時候，讓我們從最高的法律開始，這種法律的產生遠遠早於任何曾存在過的成文法和任何曾建立過的國家。

昆：對於我們已經開始的這一對話的特點來說，這確實將更為可取和更為合適。

馬：那麼，我們應當在其源頭尋求正義自身的起因嗎？因為當發現起因後，我們無疑就有了一個標準，我們所尋求的萬物都可以據此加以檢驗。

……

馬：我將不作長篇論證。你的承認使我們走到這一點：我們稱之為人的那種動物，被賦予了遠見和敏銳的智力，他複雜、敏銳，具有記憶力，充滿理性和謹慎，創造他的至高無上的神給了他某種突出的地位；因為在如此眾多的不同種類的生物中，他是唯一分享理性和思想的。而又有什麼——我並不是說只是人心中的，而是天空和大地中的——比理性更神聖呢？而理性，當其得以完全成長並完善時，就被正確地稱為智慧。因此，既然沒有比理性更好的東西，而且它在人心和神心之中都存在，人和神的第一個共有就是理性。但那些共同擁有理性的還必須共同擁有正確的理性。而且既然正確的理性就是法，我們就必須相信人也與神共同擁有法。進一步說，那些分享法的也一定分享正義；而所有分享這些的都應視為同一共同體的成員。如果他們真的服從同樣的一些權威和權力，那麼這一點就更加真實；事實是，他們的確服從著這一神聖製度、神聖心靈和具有超越一切的力量的神。因此，我們此刻就必須將這整個宇宙理解為一個共同體，神和人

都是這個共同體的成員。

　　正如在國家內法律地位的區別是由於家庭的血緣關係一樣，根據我將在適當地方探討的一個體系，在宇宙中也是如此，然而規模更大、更壯觀；因此，人類是根據血緣關係和世系而與神聯為一體的。

　　（節選自〔古羅馬〕西塞羅著，沈叔平、蘇力譯《國家篇法律篇》，

商務印書館 1999 年版）

編選說明 ●●●

　　馬庫斯‧圖留斯‧西塞羅（Marcus Tullius Cicero，前 106—前43），古羅馬著名政治家、演說家、雄辯家、法學家和哲學家。出身於古羅馬的奴隸主騎士家庭，以善於雄辯而成為羅馬政治舞臺的顯要人物。從事過律師工作，後進入政界。開始時期傾向平民派，後期成為貴族派，公元前 63 年當選為執政官。

　　《法律篇》是西塞羅政治哲學思想的代表，集中體現了他的主張。該書強調理性，引入自然法思想使羅馬法實現了偉大的轉變，開始具有世界意義，其提出的人人平等觀念和在人們心中樹立的法律權威意識對羅馬法和後世都有著深遠的影響。

阿奎那

各種類型的法

永恆法（第一條，結尾）

　　有如上文所述，法律不外乎是由那統治一個完整社會的「君王所體現的」實踐理性的某項命令。然而，顯然可以看出，如果世界是像我們在第一篇中所論證的那樣由神治理的話，宇宙的整個社會就是由神的理性支配的。所以上帝對於創造物的合理領導，就像宇宙的君王那樣具有法律的性質……這種法律我們稱之為永恆法。

自然法（第二條，結尾）

　　既然像我們已經指出的那樣，所有受神意支配的東西都是由永恆法來判斷和管理的，那麼顯而易見，一切事物在某種程度上都與永恆法有關，只要它們從永恆法產生某些意向，以從事它們所特有的行動和目的。但是，與其它一切動物不同，理性的動物以一種非常特殊的方式受著神意的支配。他們既然支配著自己的行動和其它動物的行動，就變成神意本身的參與者。所以他們在某種程度上分享神的智慧，並由此產生一種自然的傾向以從事適當的行動和目的。這種理性動物之參與永恆法，就叫做自然法。所以，在大衛說（《詩篇》，第四篇，第六節）「當獻上公義之祭」時，他像碰到有人提出問題似的

補充說明了何謂公義之祭，「有許多人說，誰能指示我們什麼好處」，然後回答說：「耶和華啊，求你仰起臉來，光照我們。」這彷彿是說，我們賴以辨別善惡的自然理性之光、即自然法，不外乎是神的榮光在我們身上留下的痕跡。所以，顯然可從看出，自然法不外乎是永恆法對理性動物的關係。

人法（第三條，結尾）

在推理時，我們從天然懂得的不言自明的原理出發，達到各種科學的結論，這類結論不是固有的，是運用推理的功夫得出的；同樣地，人類的推理也必須從自然法的箴規出發，彷彿從某些普通的、不言自明的原理出發似的，達到其它比較特殊的安排。這種靠推理的力量得出的特殊的安排就叫做人法，如果我們已經提到的為一切法律所必具的其它條件被遵守的話。所以西塞羅說（《論修詞學》，第二篇，第五十三章）：「法律最初是從自然產生的；接著，被斷定為有用的標準就相因成習地確定下來；最後，尊敬和神聖又對這一從自然產生的並為習慣所確定的東西加以認可。」

神法的必要性（第四條，結尾）

除自然法和人法從外，還必須有一項神法來指導人類的生活。這有四層理由。首先，因為人在關於最終目的的行動方面是受法律的支配的。所從，如果人注定要追求一個恰好和他的天然才能相稱的目的，那麼除自然法和由此而產生的人所規定的法律之外，他就無須獲得任何理性方面的命令。可是，因為人注定要追求一個永恆福祉的目

的，並且像我們已經指出的那樣，這超過了與人類天然才能相稱的目標，因此他為了達到這個目的，就必須不但接受自然法和人法的指導，而且接受神所賦與的法律的指導。第二，由於人類判斷的不可靠，特別在偶然的、特殊的問題上是如此，因此各種各樣的人對於人類的活動往往作出極不相同的判斷；並且從這些判斷產生不同的甚或相反的法律。所以，為了使人確鑿無疑地知道他應該做什麼和不應該做什麼，就有必要讓他的行動受神所賦予的法律的指導。因為大家知道神的法律是不可能發生錯誤的。第三，因為法律是就能夠加以判斷的事項制定的。但人的判斷達不到隱蔽的內心動作，它只能涉及顯而易見的外表的活動。雖然如此，完美的德性卻要求一個人在兩類活動中都保持正直。人類的法律既不足以指揮和規定內心的動作。因而就有必要再加上一種神的法律。第四，因為像　古斯丁所說的（《論自由意志》，第一篇），人類的法律既不能懲罰又甚至不能禁止一切惡行。這是因為，在力圖防止一切惡行的時候，會使很多善行沒有機會貫徹，從而也會妨礙很多有益於公共福利、因此為人類交往所不可或缺的事項，使它們不得實現。所以，為了不讓任何罪惡不遭禁止和不受懲罰，那就必須有一種可以防止各式各樣罪惡的神法。

（節選自〔意〕阿奎那著，馬清槐譯：《阿奎那政治著作選》，商務印

書館 1963 年版。）

編選說明 ●●●

　　湯瑪斯・阿奎那（Thomas Aquinas，約 1225—1274），是中世紀經院哲學的哲學家和神學家，逝後被封為天使博士。他是自然神學最早的提倡者之一，也是湯瑪斯哲學學派的創立者。他所撰寫的最知名著作《神學大全》，成為天主教長期以來研究哲學的重要根據。

　　《阿奎那政治著作選》摘錄了阿奎那關於國家和法律的主要觀點，該書分為兩個部分：第一部分為政治論文，第二部分為哲學著作選輯。這裏擇取的文章來自於第二部分的《神學大全》，文中作者論述了各種類型的法。阿奎那法的四分法對西方法律思想的影響是巨大而深遠的，閱讀該文，可以瞭解到阿奎那的基本法律思想。

馬基雅維利

論市民的君主國

　　但是如果一個人是由於人民的讚助而獲得君權，他就發覺自己是巍然獨立的人，在自己周圍並沒有一個人不準備服從自己或者只有很少數人不準備服從自己的。除此之外，一個君主如果公平處理事情而不損害他人，就不能夠滿足貴族的欲望，但是卻能夠使人民感到滿足。因為人民的目的比貴族的目的來得公正。前者只是希望不受壓迫而已，而後者卻希望進行壓迫。再說，如果人民滿懷不滿，君主是永遠得不到安全的，因為人民為數眾多；另一方面，君主能夠使自己安全地對付貴族，因為貴族人數甚少。君主能夠預料到那些敵對的人民幹出最壞的事情，就是他們將來把自己拋棄了。但是，對於那些敵對的貴族，君主不僅害怕他們拋棄自己，還害怕他們會起來反對自己。因為貴族在這些事情上比平民看得更深遠而且更敏銳，常常能夠及時使自己得救，而且從他們所預期的將會贏得勝利的一方取得幫助。此外，君主總是不得不和上述的平民在一起生活，但是如果沒有上述貴族，君主也能夠過得很好，因為他能夠隨時設立或者廢黜貴族，並且能夠隨心所欲給予或者抹掉他們的名聲。

　　為了更清楚他說明這件事情，我認為對於貴族應該主要地從下述兩種方式著眼進行考察：他們支配自己行動的方式使他們自己完全依靠你的運氣，抑或不是這樣。對於那些這樣約束自己而不是貪婪的人

028 一生必讀的中外經典名著 ——————— 法學卷

們，你應該給以光榮並加以愛護；而對於不是這樣約束自己的人們，你可以從下述兩種方式著眼進行檢驗。這就是說，他們這樣做可能是由於膽怯或者天生缺乏勇氣使然，在這種情況下，你應該利用他們，特別是利用那些能夠給你提出有益意見的人們。因為，這樣一來，當你隆盛的時候，他們會尊敬你，而當你處在逆境的時候，你也無需畏懼他們。但是，如果他們是為了野心勃勃的目的，故意不依靠你，這是一個徵象，表明他們為自己著想比替你著想得更多。君主就應該防範這類人，並且把他們當作公開的敵人那樣加以警惕，因為在君主不利時期，他們總是出來幫助把君主滅掉。

因此，如果一個人由於人民的讚助而成為君主的話，他應該同人民保持友好關係。因為他們所要求的只是免於壓迫，君主是能夠輕而易舉地做到這一點的。但是一個人如果同人民對立而依靠貴族的讚助成為君主的話，他頭一件應該做的事就是想方設法爭取人民。如果他把人民置於自己保護之下，他就輕而易舉地做到這一點。因為人們原來預料要受到他的損害而現在從他那裏得到了好處，他們對自己的恩人一定更加接近；人民立即對他充滿了好感，勝過那些讚助他登上王位的人們。而且君主要贏得人民的好感有許多方法。這些方法根據各種情況而互不相同，我們不能夠製作出一定之規，因此現在就不談了。我只是斷言：君主必須同人民保持友誼，否則他在逆境之中就沒有補救辦法了。

斯巴達國王納比德，抵禦了全希臘人和一支羅馬常勝軍的圍攻，保衛了他的國家和自己的地位不受他們侵害；當危難降臨他頭上的時候，他需要做的不過是使少數人無能為害；但是假使人民已經同他敵

對的話，這就不夠了。對於我的這條見解，誰都不要拿一句陳腐的諺語：「以人民為基礎，譬如築室於泥沙」來進行反駁。因為如果一位平民把他的基礎建立在人民之上，並且深信當自己受敵人或者官吏壓迫的時候人民將會解救自己，那麼這句諺語是中肯的。在這種情況下，如同羅馬的格拉奇和佛羅倫斯的喬治·斯卡利的遭遇一樣，他往往發現自己上當了。但是，如果把基礎建立在人民之上的人是一位君主，而且他能夠指揮，是一個勇敢的人，處逆境而不沮喪，不忽視其它的準備，並且以其精神意志與制度措施激勵全體人民，這樣一個人是永遠不會被人民背棄的，而且事實將會表明他已經把基礎打好了。

這種市民的君主國從平民政制（ordine civile）轉向專制政治的時候，往往處於危險狀態。因為這類君主不是由自己親自指揮就是通過官吏進行指揮的。在後一種場合，君主的地位是更加軟弱無力和更加危險的，因為他們完全依靠那些被任命當官的人們的意志；而後者，特別是在危難時期，不是採取行動反對君主就是拒不服從君主，這就很容易篡權奪位。君主在危難中已經來不及行使絕對的權力了，因為市民和屬民已經接受官吏的命令慣了，在這種危急之秋不會服從君主的命令，而且在動盪不安之日，君主往往缺乏自己能夠信賴的人。這種君主不能夠以太平時期所看到的情況作為根據。因為在太平時期市民們對國家都有所需求，當時每一個人都為國家奔走，每個人都滿口答應；而且當遠離死亡之境的時候，他們全部準備為他而死；但是到了危難時期，當國家對市民有所需求的時候，能找到的人就寥寥無幾了。而這種經歷是極其危險的，它只能經歷一遭就再沒有機會了。因此，一個英明的君主應該考慮一個辦法，使他的市民在無論哪一個時

期對於國家和他個人都有所需求，他們就會永遠對他效忠了。

（節選自〔意〕馬基雅維利著，潘漢典譯《君主論》商務印書館1985

年版）

編選說明 ● ● ●

　　尼可羅·馬基雅維利（Machiavelli，1469—1527），音樂家、詩人和浪漫喜劇劇作家，意大利文藝復興中的重要人物，在其《君主論》一書中提出了現實主義的政治理論。馬基雅維利是中世紀晚期意大利新興資產階級的代表，主張結束意大利在政治上的分裂狀態，建立強大的中央集權國家。代表作有《君主論》和《論李維》。

　　《君主論》是資產階級國家學說的代表作，是一部毀譽參半的作品，同時也是一本不可不讀的經典名著。該書認為君王在統治之時要以實力原則，不擇手段去實現自己的目的，同時要效法狐狸與獅子，有狐狸的狡猾，獅子的勇猛。該書被稱為「邪惡的聖經」，是很多君主的床頭或身上必帶書。而將該書置於整個歷史長河中來看，其在衝破中世紀的黑暗、解放人類的思想方面所發揮的作用，可謂無出其右者。

洛克

個人的權力

126‧第三，在自然狀態中，往往缺少權力來支持正確的判決，使它得到應有的執行。凡是因不公平而受到損害的人，只要他們有能力，總會用強力來糾正他們所受到的損害；這種反抗往往會使懲罰行為發生危險，而且時常使那些企圖執行懲罰的人遭受損害。

127.這樣，人類儘管在自然狀態中享有種種權利，但是留在其中的情況既不良好，他們很快就被迫加入社會。所以，我們很少看到有多少人能長期在這種狀態中共同生活。在這種狀態中，由於人人有懲罰別人的侵權行為的權力、而這種權力的行使既不正常又不可靠，會使他們遭受不利，這就促使他們託庇於政府的既定的法律之下，希望他們的財產由此得到保障。正是這種情形使他們甘願各自放棄他們單獨行使的懲罰權力，交由他們中間被指定的人來專門加以行使；而且要按照社會所一致同意的或他們為此目的而授權的代表所一致同意的規定來行使。這就是立法和行政權力的原始權利和這兩者之所以產生的緣由，政府和社會本身的起源也在於此。

128‧因為，在自然狀態中，個人除掉有享受天真樂趣的自由之外，還有兩種權力。

第一種就是在自然法的許可範圍內，為了保護自己和別人，可以做他認為合適的任何事情；基於這個對全體都適用的自然法，他和其

餘的人類同屬一體，構成一個社會，不同於其它一切生物。如果不是由於有些墮落的人的腐化和罪惡，人們本來無須再組成任何社會，沒有必要從這個龐大和自然的社會中分離出來，以明文協議去結成較小的和個別的組合。

　　一個人處在自然狀態中所具有的另一種權力，是處罰違反自然法的罪行的權力。當他加入一個私人的（如果我可以這樣稱它的話）或特定的政治社會，結成與其餘人類相判分的任何國家的時候，他便把這兩種權力都放棄了。

　　129．第一種權力，即為了保護自己和其餘人類而做他認為合適的任何事情的權力，他放棄給社會，由它所制定的法律就保護他自己和該社會其餘的人所需要的程度加以限制。社會的這些法律在許多場合限制著他基於自然法所享有的權利。

　　130．第二，他把處罰的權力完全放棄了，並且按社會的法律所需要的程度，應用他的自然力量（以前，他可以基於他獨享的權威，於認為適當時應用它來執行自然法）來協助社會行使執行權。因為他這時既然處在新的狀態中，可以從同一社會的其它人的勞動、幫助和交往中享受到許多便利，又可以享受社會的整個力量的、保護，因此他為了自保起見，也應該根據社會的幸福、繁榮和安全的需要，儘量放棄他的自然權利。這不僅是必要的，而且是公道的，因為社會的其它成員也同樣是這樣做的。

　　131．但是，雖然人們在參加社會時放棄他們在自然狀態中所享有的平等、自由和執行權，而把它們交給社會，由立法機關按社會的利益所要求的程度加以處理，但是這只是出於各人為了更好地保護自

己、他的自由和財產的動機（因為不能設想，任何理性的動物會抱著每況愈下的目的來改變他的現狀），社會或由他們組成的立法機關的權力絕不容許擴張到超出公眾福利的需要之外，而是必須保障每一個人的財產，以防止上述三種使自然狀態很不安全、很不方便的缺點。所以，誰握有國家的立法權或最高權力，誰就應該以既定的、向全國人民公佈週知的、經常有效的法律，而不是以臨時的命令來實行統治。應該由公正無私的法官根據這些法律來裁判糾紛；並且只是對內為了執行這些法律，對外為了防止或索償外國所造成的損害，以及為了保障社會不受入侵和侵略，才得使用社會的力量。而這一切都沒有別的目的，只是為了人民的和平、安全和公眾福利。

（節選自〔英〕約翰‧洛克著，葉啟芳、瞿菊農譯《政府論（下篇）》，商務印書館 1964 年版）

編選說明 ● ● ●

約翰‧洛克（John Locke，1632—1704），英國哲學家、經驗主義的開創人，同時也是第一個全面闡述憲政民主思想的人，在哲學以及政治領域都有重要影響。主要著作有《論寬容》、《政府論》、《人類理解論》和《教育漫話》等。

洛克撰寫的《政府論》於 1690 年出版，旨在為 1688 年英國光榮革命的正當性辯護，該書一經出版立即引起轟動。《政府論》分為上下兩篇：上篇主要是針對英國當時一位非常有名的作家菲爾默所

持「君權神授論」的論戰，帶有很強的針砭時弊之意味；下篇提出統治者的權力應來自於被統治者的同意，建立國家的唯一目的，乃是為了保障社會的安全以及人民的自然權利。當政府的所作所為與這一目的相違背的時候，人民就有權利採取行動甚至以暴力的方式將權力收回。

孟德斯鳩

● ● ●

國家的三種權力

　　每一個國家有三種權力：一立法權力；二有關國際法事項的行政權力；三有關民政法規事項的行政權力。

　　依據第一種權力，國王或執政官制定臨時的或永久的法律，並修正或廢止已制定的法律。依據第二種權力，他們媾和或宣戰，派遣或接受使節，維護公共安全，防禦侵略。依據第三種權力，他們懲罰犯罪或裁決私人訟爭。我們將稱後者為司法權力，而第二種權力則簡稱為國家的行政權力。

　　一個公民的政治自由是一種心境的平安狀態。這種心境的平安是從人人都認為他本身是安全的這個看法產生的。要享有這種自由，就必須建立一種政府，在它的統治下一個公民不懼怕另一個公民。

　　當立法權和行政權集中在同一個人或同一個機關之手，自由便不復存在了；因為人們將要害怕這個國王或議會制定暴虐的法律，並暴虐地執行這些法律。

　　如果司法權不同立法權和行政權分立，自由也就不存在了。如果司法權同立法權合而為一，則將對公民的生命和自由施行專斷的權力，因為法官就是立法者。如果司法權同行政權合而為一，法官便將握有壓迫者的力量。

　　如果同一個人或是由重要人物、貴族或平民組成的同一個機關行

使這三種權力，即制定法律權、執行公共決議權和裁判私人犯罪或爭訟權，則一切便都完了。

司法權不應給予永久性的元老院，而應由選自人民階層中的人員，在每年一定的時間內，依照法律規定的方式來行使；由他們組成一個法院，它的存續期間要看需要而定。

其它的兩種權力則可以賦予一些官吏或永久性的團體，因為這二者的行使都不以任何私人為對象：一種權力不過是國家的一般意志，另一種權力不過是這種意志的執行而已。

在一個自由的國家裏，每個人都被認為具有自由的精神，都應該由自己來統治自己，所以立法權應該由人民集體享有。然而這在大國是不可能的，在小國也有許多不便，因此人民必須通過他們的代表來做一切他們自己所不能做的事情。

代表的最大好處，在於他們有能力討論事情。人民是完全不適宜於討論事情的。這是民主政治重大困難之一。

已接受選民一般指示的代表不必在每一件事情上再接受特別的指示，像在德意志議會中所實行的那樣。事事請示選民，固然會使代表們的發言更能表達國家的聲音；但是，這將產生無限的拖延，並使每一個代表都成為其它代表的主人，而且在最緊急的時機，全國的力量可能為一人的任性所阻遏。

代表機關不是為了通過積極性的決議而選出的，因為這是它所做不好的事；代表機關是為著制定法律或監督它所制定的法律的執行而選出的。這是它能夠做得很好的事，而且只有它能夠做得好。

在上述三權中，司法權在某種意義上可以說是不存在的。所余的

只有二權了；這二權需要一種權力加以調節，使它們趨於寬和，而立法團體由貴族組成的部分是極適合於產生這種效果的。

行政權應該掌握在國王手中，因為政府的這一部門幾乎時時需要急速的行動，所以由一個人管理比由幾個人管理好些；反之，屬於立法權力的事項由許多人處理則比由一個人處理要好些。

如果沒有國王，而把行政權賦予一些由立法機關產生的人的話，自由便不再存在了；因為這兩種權力便將合而為一，這些相同的人有時候同時掌握這兩種權力，而且無論何時都能夠同時掌握它們。

如果行政權沒有制止立法機關越權行為的權利，立法機關將要變成專制；因為它會把它所能想像到的一切權力都授予自己，而把其餘二權毀滅。

但是，立法權不應該對等地有鉗制行政權的權利。因為行政權在本質上是有範圍的，所以用不到再對它加上什麼限制；而且，行政權的行使總是以需要迅速處理的事情為對象。

不過，雖然在一個自由國家中，立法權不應有鉗制行政權的權利，但是它卻有權利並應該有權利審查它所制定的法律的實施情況；英格蘭政府比克里特和拉棲代孟優越的地方，就在於此。

然而，不論是什麼樣的審查，立法機關不應有權審訊行政者本身，並因而審訊他的行為。他本身應該是神聖不可侵犯的，因為行政者之不可侵犯，對國家防止立法機關趨於專制來說是很必要的，行政者一旦被控告或審訊，自由就完了。

這三種權力原來應該形成靜止或無為狀態。不過，事物必然的運動逼使它們前進，因此它們就不能不協調地前進了。

　　探究英國人現在是否享有這種自由，這不是我的事。在我只要說明這種自由已由他們的法律確立起來，這就夠了，我不再往前追究。

　　我無意藉此貶抑其它政體，也並非說這種極端的政治自由應當使那些只享有適中自由的人們感到抑鬱。我怎能這樣說呢？我認為，即使是最高尚的理智，如果過度了的話，也並非總是值得希求的東西，適中往往比極端更適合於人類。

（節選自〔法〕孟德斯鳩著，張雁深譯《論法的精神》（上冊），商務印書館 1961 年版）

編選説明 ●●●

　　查理· 路 易· 孟 德 斯 鳩（Charles de Secondat, Baron de Montesquieu，1689—1755），法國啟蒙時期的思想家、社會學家和法學家。

　　作為孟德斯鳩一生中最重要的、同時也是影響最為深遠的著作，《論法的精神》一書在洛克（John Locke，1632—1704）分權思想的基礎上，突破了傳統「君權神授」觀點的宿論，認為國家法治的實現，在手段上的保證是「三權分立」（即立法權、行政權和司法權分屬於三個不同的國家機關）。這一「分權學説」，對於 1787 年的《美國憲法》、1791 年《法國憲法》、1792 年的《普魯士法典》以及其它眾多資本主義法典的制定，產生了重大的影響。

邊沁

● ● ●

最高權力制定法律的權利

二十四

　　說一個政府是自由的、另一個政府是專制的，這兩種政府的區別何在呢？是不是在那些握有人所共知的最高權力的人中間，這一個人手中的權力比另一個人手中的權力少些（如果這種權力是他們從習慣中取得的）？決非如此。那麼，難道不是由於這一個人的權力比另一個人的權力受到更多的限制？它們的區別取決於極不相同的複雜的種種客觀情況：取決於這種方式，即在自由的國家中，全部權力的總體集合起來便是最高的權力，它在幾種階層的人們中間分配，這些人是最高權力的分享者；取決於這種根源，他們分享最高權力的資格可以不斷從中得到；取決於統治者和被統治者之間位置的更換頻繁而容易；因此，某一階級的利益不知不覺或多或少地和另一階級的利益融合在一起；取決於統治者的責任，或者說一個臣民有權利根據一定的理由，公開指定掌權者和詳細地檢查對他施加壓力的權力的每個行動；取決於出版自由，或者說保證每一個人，不論他是這個階級的或那個階級的，都能夠使他的不滿和抗議為全社會所知道；取決於公開結社的自由，或者說保證那些對政府現狀不滿的人，在行政權力能夠合法地去干涉他們的行動之前，可以交換他們的感受，商議他們的計

劃，實行任何一種實際反抗的反對方式。

二十五

那麼，這種情況可能是真實的：特別由於這最後一種情況，一個在這種情況下的國家，如果需要革命，那麼通往革命的道路肯定會短些，肯定會順利和容易一些。更可能出現的情況是，如果出現這樣一種革命，它將會是許多人的事業，而且在這種革命中，多數人的利益很可能得到照顧。這樣一來，由於有了這些便利條件，因而在一個被稱為自由的政府的統治下，比在一個專制的政府的統治下，反抗的時機會來得更快些，也會少些激怒和刺激；但是，如果這個時機已經到來，那麼在這兩種政體中，反抗都會過早地來到。

二十六

讓我們簡短地但堅決而沉著地公開聲明，我們的作者焦慮不安地冒險提出的論點是：最高主體的權威，除非受到明確的協定的約束，不能有任何可以指出的和確定的界限。這意味著他們沒有什麼不能做的事情。說他們所做的事情是非法的，是無效的；說他們超越了他們的權威（不論用什麼詞來表達），即他們的權力、他們的權利──不論這種說法有多麼普遍，還是用詞不當。

二十七

難道立法機關不能這樣做嗎？難道立法機關不能制定一項有這樣效力的法律嗎？為什麼不能夠？是什麼東西妨礙了他們？為什麼有那

麼多的法律受到埋怨，也許是埋怨它們定得不合適，可是，卻照樣為
人們所服從而不發生任何權利的問題？和自己同一派別的人在一起，
和那些已被有關的法律激起了不滿情緒的人們在一起，說什麼都會被
接受；廢話也是好的，並且是火上加油。可是，對於一個與此法律無
關的旁觀者，很明顯，他不會否認立法機關的權利，他們的權威、他
們的權力，或者諸如此類的東西，他不會否認他們能夠做現在所談論
的事情。事情不會如此，我認為，任何帶有這種傾向的說法，都不能
給他最小的滿足。

二十八

　　就算一般地承認這個命題，可是，什麼東西對我們更密切？即使
承認對立法的權威存在某些界限，這樣說又有什麼用處？如果甚至沒
有人企圖指出這些界限有什麼用處，也就是，依靠這種方式，可以事
前知道，哪一類法律必定在這些界限之內，而哪一些又必定在它們之
外呢？即使承認立法機關有些事情是它所不能做的，即使承認有些法
律超出立法者制定法律的權力；這類論述能夠為我們提供什麼規則去
決定現在所講的任何一項情況是或不是一個數位的問題呢？就我來
說，我找不出來。要麼，這種論述一開始就是混亂的；要麼其它一切
論述都是含糊不清的，而且提不出什麼明白易懂的論證；而如果有這
樣的論證，那它們就是從功利的原則引申出來的。這些論證，不管使
用怎樣不同的詞句來表達，最後不會多於也不會少於下面的內容：這
條法律的傾向或多或少都是有害的。如果這就是這種論證的結果，那
麼，為什麼不立刻去把它弄清楚？為什麼當簡單的理由明明白白地擺

在我們面前時還要繞一個詭辯的大圈子呢？

（節選自邊沁著，沈叔平等譯《政府片論》，商務印書館 1995 年版）

編選說明 ●●●

傑瑞米・邊沁（Jeremy Bentham，1748—1832），英國的功利主義哲學家、法理學家、經濟學家和社會改革者。他是一個政治上的激進分子，亦是英國法律改革運動的先驅和領袖，並以功利主義哲學的創立者、動物權利的宣揚者及自然權利的反對者而聞名於世。他還對社會福利制度的發展有重大的貢獻。主要著作有《道德與立法原理導論》和《政府片論》等。

《政府片論》是邊沁最早出版的一部著作，也是第一部較系統地將功利原則運用於政治思想領域的著作，因而在西方政治思想史上佔有一席之地。本書從功利的原則出發，對主權者的權力的性質、來源及其可能採取的形式提出獨到見解。他認為，主權者是具有確定性質的一個人或一群人，許多其它的人習慣於對他們表示服從。

漢密爾頓、傑伊、麥迪森
防備權力的擴張

　　各方面都同意，正當地屬於某一部門的權力，不應該完全由任何其它部門直接行使。同樣明顯的是，沒有一個部門在實施各自的權力時應該直接間接地對其它部門具有壓倒的影響。不能否認，權力具有一種侵犯性質，應該通過給它規定的限度在實際上加以限制。因此，在理論上區別了性質上是立法、行政或司法的幾類權力以後，下一個而且是最困難的工作是，給每種權力規定若干實際保證，以防止其它權力的侵犯。這種保證應該是些什麼，就是有待解決的一個重大問題。

　　準確地標出政府憲法中關於這些部門的界限，並且靠這一紙空文來反對權力的侵犯性，這是否就夠了呢？美國大多數（州）憲法的制定人主要依靠的似乎是這種預防措施。但是經驗使我們確信：對這種規定的效力是估計過高了；政府的力量軟弱部門必須要有某種更恰當的防備來對付力量更強的部門。立法部門到處擴充其活動範圍，把所有權力拖入它的猛烈的漩渦中。

　　我們共和國的創立人所表現的智慧，使他們有了這樣大的功勞，以致沒有什麼事比指出他們曾犯的錯誤更加令人不快了。然而，出於對真理的尊重使我們不得不指出，他們對於由世襲立法權所支持並加以鞏固的一個世襲地方長官的過於龐大和總攬一切的特權對自由造成

的威脅，似乎從來不予注意。他們似乎從未想到來自立法上的篡奪危險，所有權力集中在同一些人手中，必然會造成像在行政篡奪威脅下的同樣暴政。

在多而廣泛的特權由世襲君主執掌的政府裏，行政部門非常恰當地被認為是危險的根源，並且受到對自由的熱心所應該引起的密切防備。在民主政體下，人民群眾親自行使立法職能，由於不能定期商量，取得一致措施，他們不斷面臨自己行政長官的野心陰謀，所以在某個有利的非常時刻，在同一個地方有突然出現虐政之慮。但是在代議制的共和政體下，行政長官的權力範圍和任期都有仔細的限制；立法權是由議會行使，它堅信本身的力量，因為被認為對人民有影響而得到鼓舞；它人數多得足以感到能激起多數人的一切情感，然而並不致多得不能用理智規定的方法去追求其情感的目標；人民應該沉溺提防和竭力戒備的，正是這個部門的冒險野心。

立法部門由於其它情況而在我們政府中獲得優越地位。其法定權力比較廣泛，同時又不易受到明確的限制，因此立法部門更容易用複雜而間接的措施掩蓋它對同等部們的侵犯。在立法機關中一個並非罕見的實在微妙的問題是：某一個措施的作用是否會擴展到立法範圍以外。另一方面，由於行政許可權於比較狹小的範圍內，在性質上比較簡單，而司法權的界線又更其明確，所以這些部門中的任何一個的篡奪計劃，都會立刻暴露和招致失敗。這還不算，因為立法部門單獨有機會接近人民的錢袋，在某些憲法中，對於在其它部門任職者的金錢酬報有全部決定權，這在所有憲法中有極大影響，於是在其它部門造成一種依賴性，這就為立法部門對它們的侵犯提供更大的便利。

　　我曾求助我們自己的經驗來說明我在這個問題上所提出的真理。如果需要用特殊證明來證實這個經驗，那些證明是不勝枚舉的。我可以從每一個曾經參加或注意公共行政方針的公民當中找出證人。我可以從聯邦的每一個州的記錄和檔案中收集大量證明。但是我將引用兩個州的例子作為比較明確、同時又同樣令人滿意的證據，這個例子是由兩個無懈可擊的權威所證明的。

　　……

　　許多法律通過了，毫無必要地違犯了要求所有公共性質的議案應預先印發人民研究的規定，儘管這是憲法主要藉以預防立法部門的不適當法令的一種辦法。

　　立法機關違犯了憲法上規定的陪審官審訊制，並且執掌了憲法未曾授予的權力。

　　行政權力被篡奪。

　　憲法明確規定法官薪金必須固定，可是時常改變；屬於司法部門的案件，卻經常由立法部門審理和判決。

　　凡是想瞭解這幾個題目的若干細節的人，可參看已經出版的議事錄。可以發現，其中一些可歸咎於與戰爭有關的特殊情況，但是其中大部分可認為是組織不善的政府的自然產物。

　　（節選自〔美〕漢密爾頓、傑伊、麥迪森，程逢如、在漢、舒遜譯
　　　《聯邦黨人文集》，商務印書館 1980 年版）

編選說明 ●●●

亞歷山大・漢密爾頓（Alexander Hamilton，1757—1804），原為律師，是制憲會議的成員；新政府成立後，任首任財政部長。約翰・傑伊（John Jay，1745—1826 年），律師兼外交家，曾任臨時國務卿，第一任司法部長，紐約州長等。詹姆斯・麥迪森（James Madison，1751—1836 年），獨立運動的主要人物之一。在費城制憲會議中作用卓著，有「憲法制定人」之稱，曾任國務卿和第四任總統。

該書的三位作者都是美國建國初期起過不同作用的資產階級歷史人物，他們當時自稱聯邦黨人。該書是全面為當時的新憲法辯護的一部著作，其中心論點是闡明需要建立中央相對集權的強大的聯邦政府，以保證政治上的統一，實現國內安定，促進經濟繁榮，但也不過多地侵犯各州和個人的權利。

黑格爾

●　●　●

意志的純無規定性

　　意志包含（甲）純無規定性或自我在自身中純反思的要素。在這種反思中，所有出於本性、需要、欲望和衝動而直接存在的限制，或者不論通過什麼方式而成為現成的和被規定的內容都消除了。這就是絕對抽象或普遍性的那無界限的無限性，對它自身的純思維。

　　附釋　有些人把思維作為一種特殊的獨特的官能，把它跟意志分離而作為另一個獨特的官能來考察，並且進一步認為思維對意志、特別是對善良意志是有害的。這些人一開始就暴露出對意志的本性一無所知。關於這一點，我們談到同一論題時還要反覆指出。

　　在本節中所規定的只是意志的一個方面，即我從我在自身中所發見的或設定的每一個規定中能抽象出來的這種絕對可能性，即我從一切內容中猶之從界限中的越出逃遁。如果意志的自我規定僅在於此，或觀念把這一方面本身看作自由而予以堅持，那麼這就是否定的自由或理智所瞭解的自由。

　　這是提高到現實形態和激情的那空虛的自由；當它還停留在純粹理論上的時候，它在宗教方面的形態就成為印度的純沉思的狂熱，但當它轉向現實應用的時候，它在政治和宗教方面的形態就變為破壞一切現存社會秩序的狂熱，變為對某種秩序有嫌疑的個人加以剷除，以及對企圖重旗鼓的任何一個組織加以消滅。這種否定的意志只有在破

壞某種東西的時候，才感覺到它自己的定在。誠然，這種意志以為自己是希求某種肯定的狀態，例如普遍平等或普遍宗教生活的狀態，但是事實上它並不想望這種狀態成為肯定的現實，因為這種現實會馬上帶來某種秩序，即制度和個人的特殊化。對否定自由的自我意識正是從特殊化和客觀規定的消滅中產生出來的。所以，否定的自由所想望的其本身不外是抽象的觀念，至於使這種觀念實現的只能是破壞性的怒濤。

補充（抽象的自由）

意志這個要素所含有的是：我能擺脫一切東西，放棄一切目的，從一切東西中抽象出來，惟有人才能拋棄一切，甚至包括他的生命在內，因為人能自殺。動物則不然，動物始終只是消極的，置身於異己的規定中，並且只使自己習慣於這種規定而已。人是對他自身的純思維，只有在思維中人才有這種力量給自己以普遍性，即消除一切特殊性和規定性。這種否定的自由或理智的自由是片面的，但是這種片面性始終包含著一個本質的規定，所以不該把它拋棄。不過理智有缺點，即它把片面的規定上陞為唯一最高的規定。在歷史上自由的這種形式屢見不鮮。例如，印度人認為至高無上的境界是：堅執與自己單純同一的那樣素的知識；停留在他內心生活的這種虛無的空間，正如在純直觀中的光是無色的一樣；摒絕生活上的活動、一切目的、一切想像，這樣人就成為婆羅門。有限的人和婆羅門之間再沒有什麼區別了，更確切些說，每一種差別都在這一普遍性中消失了。自由的這種形式在政治生活和宗教生的積極狂熱中，有更具體的表現。例如，法國革命的恐怖時期就屬於此。當時一切才能方面和權威方面的區別，

看來都被廢除了。這一個時期是以戰慄、震驚、勢不兩立，來對抗每個特殊物。因為狂熱所希求的是抽象的東西，而不是任何有組織的東西，所以一看到差別出現，就感到這些差別違反了自己的無規定性而加以毀滅。因此之故，法國的革命人士把他們自己所建成的制度重新摧毀了，因為每種制度都跟平等這一抽象的自我意識背道而馳。

（節選自〔德〕黑格爾著，范揚、張企泰譯《法哲學原理》，商務印書館 1961 年版）

編選說明 ●●●

　　黑格爾（Georg Wilhelm Friedrich Hegel，1770—1831 年），德國哲學家，其哲學思想被定為普魯士國家的欽定學說。黑格爾一生著述頗豐，在其生前正式出版的作品有《精神現象學》、《邏輯學》、《哲學科學全書綱要》和《法哲學原理》，後人又根據其講義、筆記和學生的聽課筆記整理出版了《哲學史講演錄》、《歷史哲學》和《美學》等。

　　《法哲學原理》是黑格爾在 1818 年任柏林大學教授時寫的，於1821 年正式出版，系統地反映了黑格爾的法律觀、道德觀、倫理觀和國家觀。該書從哲學的角度解析法，用辯證的思維探悉法、道德與倫理之間的奧秘，從而邁向自由的意志。黑格爾認為，法是自由意志的體現，真正的自由是受客觀的、具有普遍性的法的限制的自由。

托克維爾

●●●

美國社會從民主政府獲得的真正好處

　　民主的法制一般趨向於照顧大多數人的利益，因為它來自公民之中的多數。公民之中的多數雖然可能犯錯誤，但它沒有與自己對立的利益。

　　貴族的法制與此相反，它趨向於使少數人壟斷財富和權力，因為貴族生來總是少數。

　　因此，一般可以認為民主立法的目的比貴族立法的目的更有利於人類。

　　但是，民主立法的好處也就止於此。

　　貴族制度精於立法科學，而民主制度則不善此道。貴族制度有自我控制的能力，不會被一時的衝動所驅使。它有長遠的計劃，並善於在有利的時機使其實現。貴族制度辦事考究，懂得如何把法律的合力同時彙聚於一點。

　　民主制度就不能如此，它的法制幾乎總是不夠完善或不合時宜。

　　因此，民主制度的手段不如貴族制度的完備；民主制度在行動時往往不講究手段，甚至違背自己，但它的目的卻比較有益於人民。

　　如果想像有一個社會，它的自然條件和政治體制容許不良的法律可以暫時通行，並在這種法律的總趨勢結束的時候社會還能依然存在，而它的民主政府儘管還有許多缺點，但它仍然是最能使社會繁榮

的政府。

這正是出現於美國的情景。我再把我在前面說過的話重複一遍：美國人的巨大優點，在於他們允許犯錯誤，而事後又能糾正錯誤。

我認為，對於公務人員的甄選，一般說來也是如此。

不難發現，美國的民主常在選擇受託執政的人員方面犯錯誤；但要解釋在被選錯的人執政期間美國為什麼會照樣繁榮，那就不容易了。

首先，你可以看到，在一個民主國家，雖然它的統治者不夠忠誠或不怎麼能幹，但其被治者卻很聰明和很認真。

在民主國家，不斷關心自己的事業和重視自己的權利的人民，可防止他們的代表偏離他們根據自己的利益為代表規定的總路線。

其次，你還可以看到，如果民主國家的行政官員比其它國家的易於濫用權力，則人民一般不會讓他們長期留任。

但是，還有一個比這個理由更有普遍性和說服力的理由。

毫無疑問，統治者有德有才，對於國家的富強來說是十分重要的；但統治者沒有同被治者大眾的利益相反的利益，或許更為重要，因為他們有了這種利益以後，德便幾乎不發生作用，而才也將被用於幹壞事。

我認為，統治者沒有同被治者大眾的利益相反或不同的利益是十分重要的，但我決不認為，統治者具有同全體被治者的利益一致的利益也很重要，因為我還不知道哪裏有過這樣的利益。

迄今為止，還未見過對社會各階級都一視同仁地促進它們興旺和繁榮的政體。在一個國家裏，有幾個社會階級就像有幾個不同的國

家；而且經驗也已證明，把其它階級的命運完全交給一個階級去掌管，其危險並不亞於讓國家中的一個民族充當另些民族的仲裁者。當只由富人統治國家時，窮人的利益總要受到損害；而在窮人立法時，富人的利益便要遭到嚴重的危險。那麼，民主的好處究竟是什麼呢？民主的真正好處，並非像人們所說是促進所有階級的興盛，而只是對最大多數人的福利服務。

在美國，負責領導國家事務的人，在才德兩方面都不如貴族國家的執政者，但他們的利益卻是與大多數同胞的利益相同和一致的。因此，他們可能常常不忠於職守和犯重大錯誤，但他們決不能把敵視這個大多數的方針貫徹下去，他們也無法使政府具有獨斷獨行和令人生畏的形象。

而且，在民主制度下，一個行政首長的不良政績不過是孤立現象，只能在其暫短的任期內發生影響。腐化和無能，決非來自可以把人們經常聯合在一起的共同利益。

一個腐化或無能的行政官員，不能只靠另一個行政官員也像他一樣無能和腐化而彼此勾結，並聯合起來使腐化和無能在他們的後代繁衍。相反，一個行政官員的野心和陰謀，還會促使他去揭露另一個行政官員。在民主制度下，行政官員的劣跡，一般說來完全是屬於他們個人的。

（節選自〔法〕托克維爾著：《論美國的民主》，董果良譯，商務印書館 1988 年版）

編選說明 ●●●

阿歷克西‧德‧托克維爾（Alexis de Tocqueville，1805—1859），法國歷史學家、社會學家，曾出任法國外交部長。他出身貴族世家，經歷過五個「朝代」（法蘭西第一帝國、波旁復辟王朝、七月王朝、法蘭西第二共和國、法蘭西第二帝國）。主要代表作有《論美國的民主》和《舊制度與大革命》。《論美國的民主》令他享有世界聲譽。

《論美國的民主》分上、下兩卷：上卷講述美國政治制度及其產生的根源，分析美國民主的生命力、缺點和前途；下卷以美國為背景發揮托克維爾的政治哲學和政治社會學思想。上卷的第一部分講述美國的政治制度，第二部分對美國的民主進行社會學的分析。下卷分四個部分，以美國為背景發揮其政治哲學和政治社會學思想。這部書的基本思想在於：承認貴族制度必然衰落和平等與民主的發展勢不可擋。

密爾

理想上最好的政府形式

　　不難表明，理想上最好的政府形式就是主權或作為最後手段的最高支配權力屬於社會整個集體的那種政府；每個公民不僅對該最終的主權的行使有發言權，而且，至少是有時，被要求實際上參加政府，親自擔任某種地方的或一般的公共職務。

　　為檢驗這個命題，就必須聯繫到上一章所指出的為便於對政府長處的研究而劃分出的兩個部分加以考察，即：政府通過社會各種成員現有道德的、智力的和積極的能力促進社會事務的良好管理到何種程度，以及它在改善或敗壞這些能力方面的效果如何。

　　不用說，理想上最好的政府形式，並不是指在一切文明狀態都是實際可行的，或適當的政府形式說的，而是指這樣一種政府形式，在它是實際可行和適當的情況下，它伴隨有最大數量有益後果，直接的和將來的。完全的平民政府是能夠主張具有這種性質的唯一政體。它在政體表現其優越性的兩個部分都是卓越的。它比其它政體既更有利於提供良好的管理，又促進較好的和較高形式的民族性格的發展。

　　它有關當前福利的優越性建立在兩個原則之上，這兩個原則具有和關於人類事務所能規定的任何一般命題同樣普遍的真理性和適用性。第一個原則是，每個人或任何一個人的權利和利益，只有當有關的人本人能夠並習慣於捍衛它們時，才可免於被忽視。第二個原則

是，從事於促進普遍繁榮的個人能力愈大，愈是富於多樣性，普遍繁榮就愈達到高度，愈是廣泛普及。

試將這兩個命題具體化到當前場合。人們愈具有自保的力量並進行自保，他們就愈能免遭他人的禍害；只有他們愈是自助，依靠他們自己各別的或共同的行動而不仰賴他人，才愈能在同自然的鬥爭中取得高度的成功。

前一命題——每個人是他自己的權利和利益的唯一可靠保衛者——是深謀遠慮的基本準則之一，每個能夠處理自己事務的人在涉及他自己時總是暗含地按照它行動的。的確，許多人對它作為政治學說感到極大厭惡，並且愛把它公然誣衊為普遍自私的學說。對此我們可以回答說，人通常總是愛自己勝於愛別人，愛和自己接近的人勝於愛較疏遠的人，當這一點不復是真理的時候，從那時起，共產主義就一定不僅是實際可行的，而且是唯一可以辯護的社會形式了。而且，到那時候，共產主義將肯定會得到實行。就我自己來說，就不相信普遍的自私。我不難承認甚至現在共產主義在人類的精華中就會是可行的，在其它人中也可能變成可行的。但是由於這一意見就是不受那些不滿於私利佔有普遍優勢的學說的現制度的維護者們歡迎，我倒以為他們實際上確是相信大多數人考慮自己先於別人的。然而，為了支持一切人參加行使主權的主張，甚至不必要作這種斷言。我們不需要假設說，當權力存在於一個排他的階級手中時，該階級將明知和有意地為自己而犧牲其它階級的利益。這樣說就夠了：在沒有天然的保衛者的情況下，被排除的階級的利益總是處在被忽視的危險中。而且，即使看到了，也是用和直接有關的人們不同的眼光去看的。舉例來說，

在我們國家，被叫做工人階級的那個階級可以認為就是被排除在對政府的一切直接參加之外的。我不以為參加政府的各階級一般地有為自己而犧牲工人階級的任何意圖。他們曾經有過那種意圖；看看那些長期以來用法律壓低工資的堅持不懈的嘗試吧。但是今天他們通常的意向恰恰相反，他們願意為了工人階級的利益做出相當大的犧牲，特別是金錢上的犧牲。而且可以說失之過分慷慨和不分青紅皂白的慈善。我也不認為在歷史上任何統治者曾有過如此真誠的對自己的貧苦同胞盡義務的願望。然而議會，或者組成議會的幾乎所有成員，曾有過一瞬間用工人的眼光去看問題嗎？當涉及工人本身利益的問題發生時，不是僅僅從雇主的觀點去加以考慮嗎？我並不是說工人對這種問題的看法一般地比其它人的看法更接近真理；但它有時是完全同樣接近真理的。無論如何應當恭敬地聽取他們的意見，而不應當像現在這樣不僅不予尊重而且加以忽視。比方說，在罷工問題上，我懷疑在上院或下院的主要成員中是否有哪怕是一個人不堅決相信事情的理由無條件地在雇主這邊，而受雇人的意見簡直是荒唐可笑的。研究過這個問題的人都清楚地知道情形遠遠不是這樣；如果舉行罷工的階級能夠讓議會聽到自己的意見，問題將會以完全不同的、遠遠不是那麼膚淺的方式進行討論的。

（節選自〔英〕密爾著，汪瑄譯《代議制政府》，商務印書館 1982 年版）

編選說明 ● ● ●

密爾（John Stuart Mill，1806—1873），或譯作穆勒，英國著名哲學家和經濟學家，19 世紀影響力很大的古典自由主義思想家，對西方自由主義思潮影響甚廣，他支持邊沁的功利主義。主要著作有《論自由》、《代議制政府》和《功利主義》等。

《代議制政府》發表於 1861 年，正是英國資本主義的自由競爭蓬勃展開的時期，是西方學者公認為有關議會民主制的一部經典著作，對英國以及歐美各國的政治制度有較大影響。密爾在該書中把多年來致力於議會改革而形成的政治觀點和實際建議加以系統化，闡述了評價政府形式的一般標準，論證了代議制政府的優點和可能存在的弊端，區分了真假兩種民主制度，提出了改革代議制政府的一些建議和主張，這些理論和主張是其功利主義原則在政治問題上的應用。

戴雪

憲法與憲典之區分

　　同是規則，而有憲法與憲典的相異稱謂。但稱謂的相異，只是為便於分別起見，決無輕重的歧視。倘若有人以為凡屬憲典，都是渺小不堪，而且並無真際的存在；此項意見未免錯誤。任何教師均不願將此意向聽眾暗示。其實在憲典中有許多規則，能與法律同重要，不過仍有許多規則較為輕微而已。即使在法律方面何嘗不自有比較的輕重之分別？抑有進者，我在此地所下工夫並不要將真假兩事互勘；我的用意所在只要將英憲中之典則成分對峙法律成分。

　　在此際，學者必須注意一事，即是：法律與典則的區別不應混同成文法（或法令）與非成文法（或常法）的區別。試舉實例以資解證。例如，人權請願書，王位繼承法案，兩宗出庭法案，皆應成為成文法，因為在法令檔案中此類法律可以翻閱。換言之，此類法律皆是「制定法」（statutory enactments）。以其內容皆關係國家的根本之故，此類成文法均為英憲的法律。但英憲的法律亦有一部分至今仍為「非成文法」，這是要說，這部分的法律仍未經制定，因之，只為「非制定法」（not statutory enactments）而已。「非制定法」或「非成文法」上文曾經列舉，茲不再贅。自歷史觀點視察，盡有許多法律，從前本非成文者，一經巴力門採之以立法，便為成文。例如，關於約束王位繼承的法律本來早經規定於常法，而自 1701 年後，此項規定

便成制定法或成文法矣。至於英憲的典則則大異是。本來典則未嘗不可以書面記載，但絕未嘗記載於檔案，使人可以隨時檢閱。譬如，巴力門立法程序只是一種慣用規例，即是典則之一類，不過此項程序不但寫成條文，而且編印成帙，此即為最顯著的例證。由此觀之，成文法及非成文法的區別實未嘗與憲法及憲典的區別相符合。後一種區分在此際最須注意，因為此項區分的本身故屬重要，而與本書的研究對象，即憲法，尤有密切關係。此外，讀者還須記取一點，即是：此項區分不獨存在於英國的憲法，而且存在於別國憲法之為成文或制定者。試以合眾國為例。本來在合眾國中，總統及元老院的權力，以至選舉總統的方式一概被規定於憲法。但除憲法的條文之外，尚有一種極嚴密的典則徐徐發生，且漸次與憲法的條文並行不悖。雖則此類典則的存在未得法院承認，然而它們在實用上與法律同功用。譬如，自華盛頓謝絕連任三次總統而後，再無任何總統在二次連任後而繼續被選。本來此項規則絕未嘗記載於憲法，徒以公眾贊同之故，雖有格蘭將軍（General Grant）之豐功偉績，三次候補總統卒見失敗。又如，依合眾國憲法，民國的行政首長，即總統，本以復選制度而選出；此實為制憲者原有用意。分析言之，合眾國選民，以分區選舉方法，相與投票選出若干人，為選舉總統的投票者，故直稱之曰「選舉人」（electors）。「選舉人」既選定，然後更由「選舉人」相與集合而投票，以選擇總統。不料自憲法既公佈而後，乃有一條憲典發生。這條憲典的意思是：一個選舉人不可選擇合眾國總統。這是要說，他不能運用自由的意思，與行使獨立權力，以投票選出自己所意願選舉的人物。因之，所謂「選舉人」的制度直成為票選某一總統候補人的工

具。直截了當地說，他們的人數只足以代表共和黨或民主黨的指名候
補總統所應得票數而已。惟其如是，總統的選舉人原有法律身份遂生
一大變化；制憲者的一番心血遂盡付之流水，以至一去不回。自這條
典則確立之後，全國奉行唯謹，雖有肆無忌憚的政客，亦不敢自由運
用原有法定的選擇總統權力，而毀棄當選為選舉人時所受於某區選
民之信託。試觀海士先生（Mr.Hayes）與體勒奠（Mr. Tilden）競選一
事，即可概見合眾國人民對於這條典則所有信仰之堅決。當是時，假
使共和黨的選舉人中只有幾個人能覺得自己盡有自由以票選民主黨的
候補總統，不獨公家困難可以解免，就是公家危險亦可以減除不少。
然而中途變節者竟無一人。於是，在亞美利加中，選舉人原有選擇總
統的權力概為憲典剝奪無餘，恰如在英格蘭中，元首原有拒絕同意於
兩院通過的草案之權力亦受同樣力量推翻淨盡。由此觀之，在成文憲
法之下，一如在非成文憲法治下，所有憲法與憲典的區別均能存在。
（節選自〔英〕戴雪著，雷賓南譯《英憲精義》中國法制出版社 2001
年版）

編選説明 ● ● ●

　　戴雪（A1bert Venn Dicey，1835─1922），英國法學家。主要著
作有《英憲精義》、《論衝突法》、《19 世紀英國的法律和輿論關係的
演講》和《英國反對愛爾蘭自治法的理由》等。

　　《英憲精義》是戴雪最負盛名的著作，在建構中國的憲法學科和

促成國人憲法智識方面，發揮了啟蒙教本的作用。在《英憲精義》中，戴雪的主要貢獻有二。其一，確定了憲法學者的職責和憲法的概念；其二，把英國當時的憲法原則歸納為三項：議會主權，法治原則，憲法法律和憲法慣例並重。在議會主權原則部分，戴雪提出了政治主權和法律主權的劃分，在主權學說史上留下了自己的腳印。戴雪對法治原則的論述，也早就成為法治理論的經典。

卡多佐

司法過程的四種方法

　　在這永恆的流變中，法官們所面臨的實際是一個具有雙重性的問題：首先，他必須從一些先例中抽象出基本的原則，即判斷理由（ratio decidendi）；然後，他必須確定該原則將要運行和發展——如果不是衰萎和死亡——的路徑或方向。

　　比起這個問題的第二部分來，我們更習慣於清醒地討論這個問題的第一部分。案件並不自我展開它們的原則來回答提問。要它們緩慢又痛苦的洩露其核心原則，我們只有瞭解了一個例子的本來面目，這個例子才可能給出一個概括；而瞭解它的本來面目又不是一件容易的事。因為，交由我們審理的事情常常已被律師用一些含混其詞的法官意見（dicta）作了包裝，我們必須將這些意見剝離下來，拋在一邊。法官們對其前輩的例證，評論和眉批的崇敬程度差別很大，更不用說對他們自己的這類作品了。所有的法官都同意，當有人提交一個司法意見時，可能會有反對的意見；而有些法官似乎又認為在這之後就立刻沒有反對意見了。這是，宗教的全部靈感就降臨到了多數法官意見中了。當然，並沒有誰公開宣稱自己有這樣一個信仰，然而行動中有時卻隱含了以這種態度來對待多數法官的意見。我承認，對我來說，一個很大的謎就是，世界上所有人當中為何單單是法官應當將他們的信仰置入法官意見。在我自己的司法意見發佈幾個月後，再揀起來帶

著適度的悔悟重新閱讀，我擔任法官的短暫經歷就足以向我顯露出這些意見中有各種裂縫、罅隙和漏洞。一個人自認為不會犯錯誤，這種信念是一種迷思，它很容易——且帶著某種更大程度的滿足——導致一個結論，只有自己才不會犯錯誤。但是，法官意見並不總是擁有這樣的通行證，並且人們也不能一眼就辨認出哪些是法官意見。如同每個法律研究者都瞭解的那樣，識別法官意見需要不斷將先例中的那些偶然的和非本質的東西同那些本質的和固有的東西分離開來。然而，讓我們假定我們現在已經完成了這一工作，並假定我們已經瞭解了先例的真實面目；還讓我們假定蟄伏在先例中的原則已經被很技巧的抽取出來並精確地表述出來了。但是這僅僅是完成了工作的一半或不到一半。問題，仍然存在，這就是要確定這個原則的邊界和它發展、增長的趨向，這就是要讓這種指導力量在交叉路口能沿著正確的道路前進。

　　一個原則的指導力量也許可以沿著邏輯發展的路線起作用，我將稱其為類推的規則或哲學的方法；這種力量也可以沿著歷史發展的路線起作用，我將稱其為進化的方法；它還可以沿著社區習慣的路線起作用，我將稱其為傳統的方法；最後，它還可以沿著正義、道德和社會福利、當時的社會風氣的路線起作用，我將稱其為社會學的方法。

（節選自〔英〕卡多佐著，蘇力譯《司法過程的性質》，商務印書館1998 年版）

編選說明 ●●●

　　卡多佐（Benjamin Nathan Cardozo，1870—1938），是美國歷史上最偉大的法官之一，社會學法學的代表人物。卡多佐自 21 歲獲得律師資格後就一直從事實務工作及法學教育，繼而又擔任法官，是美國歷史上當之無愧的偉大人物。主要著作有《司法過程的性質》、《法律的成長》、《法律科學中的矛盾》和《法律與科學》。

　　1921 出版的事列講演集《司法過程的性質》集中體現了卡多佐的核心思想。該書亦揭示了法官判案時擔當的職責和裁決的方法，司法過程的立法性質及其限制因素，而他論述的內在機理乃是對法律自身成長的深刻剖析，對實用主義司法哲學、法社會學觀的理論化闡述。

凱爾森

法律秩序的基礎規範

（一）基礎規範與憲法

　　法律秩序的規範從這一秩序的基礎規範中得來，證明特殊規範已根據基礎規範而創立。關於為什麼某一強制行為（例如一個人將另一個人關入監獄從而剝奪了他的自由）是法律行為的問題。對這個問題的回答是：因為這一行為曾由一個個別規範，即一個司法判決所規定。關於為什麼這一個別規範作為一個特定的法律秩序的部分而有效力的問題。對這個問題的回答是：因為這一個別規範是按照一個刑事法律創立的。最後，這個法律從憲法中取得其效力，因為它是由主管機關按照憲法所規定的方式制定的。

　　如果我們問為什麼憲法是有效力的，也許我們碰上一個比較老的憲法。我們終於找到這樣一個憲法，它是歷史上第一個憲法，並且是由一個僭位者或某個大會所制定的。這第一個憲法的效力是最後的預定、最終的假設，我們的法律秩序的全部規範的效力都依靠這一憲法的效力。人們假設一個人應當像制定第一個憲法的那個人或那些個人所命令的那樣行為。這就是正在加以考慮的那個法律秩序的基礎規範、具體體現這第一個憲法的檔，只有在基礎規範被預定是有效力的條件下，才是一個真正的憲法、一個有拘束力的規範。只有依靠這一

預定，被憲法授予創造規範權力的那些人的宣告才是有拘束力的規範。正是這一預定，才使我們能區分作為合法權威的那些個人和其它我們不認為是合法權威的那些個人，能區分人的創造法律規範的行為和不具有這種效果的行為。所有這些法律規範都屬於同一法律秩序，因為它們的效力都可以被──直接地或間接地──追溯到這第一個憲法。這第一個憲法是一個有拘束力的規範這一點是被預定的，而這種預定的公式表示就是這一法律秩序的基礎規範。宗教規範體系的基礎規範是一個人應當像上帝或由上帝設立的權威者所命令的那樣行為。同樣地，一個法律秩序的基礎規範則規定一個人應當像憲法的「締造者」和由憲法──直接地或間接地──授權（委託）的那些人所命令的那樣來行為，以一個法律規範的形式來表示的話，就是：強制行為只有在由憲法的「締造者」或受他們委託的機關所決定的條件和方式下，才應當被實現。概括地說，這是單獨一個國家的法律秩序的基礎規範、國內法律秩序的基礎規範。這裏我們的注意力只限於國內法律秩序。以後，我們將考慮到國際法的推定對國內法基礎規範問題有什麼關係。

（二）基礎規範的特殊功能

　　剛才講到的那種規範是國內法律秩序的基礎規範這一點。並不意味不能進一步研究這一規範以外的問題。肯定地，有人可能會問為什麼人們必須將第一個憲法當作一個有拘束力的規範。回答或許是第一個憲法的締造者是由上帝授權的。可是，所謂法律實證主義的特色就

是它不需要關於法律秩序的任何宗教辯解。實證主義的最後假設就是
歷史上授權第一個立法者的那個規範。這一基礎規範的全部功能就是
以創造法律的權力授予第一個立法者的行為以及以這第一個行為為根
據的所有其它行為。只有在基礎規範被預定為一個有效力規範的條件
下，人們才有可能將這些人的行為解釋為法律行為，其產物則是有拘
束力的規範。而這意思就是將體現為法律本身的經驗材料當做法律來
解釋。基礎規範只是對法律材料的任何實證主義解釋的必要的預定。

　　基礎規範並不是由造法機關用法律程序創造的。它並不是像實在
法律規範那樣由一個法律行為以一定方式創造的，所以才有效力。它
之所以有效力是因為它是被預定為有效力的；而它之所以是被預定為
有效力的，是因為如果沒有這一預定，個人的行為就無法被解釋為一
個法律行為，尤其是創造規範的行為。

　　在陳述基礎規範時，我們並沒有將任何新的方法引入法律科學。
我們僅僅闡明了所有的法學家（其中大多數是不自覺地）所推定的事
物，即他們認為實在法是有效力的規範體系而不僅是事實的綜合體。
同時擯棄了實在法會從中取得自己效力的任何自然法，在法律意識中
真正存在著基礎規範這一點，是簡單地分析實際的法學陳述的結果。
基礎規範就是對下述問題的回答：關於法律規範、法律義務、法律權
利等所有這些法學陳述如何會是可能的？也就是說在什麼條件下才是
可能的？

（節選自〔奧〕凱爾森著，沈宗靈譯《法與國家的一般理論》中國大
百科全書出版社 1996 年版）

編選說明 ●●●

　　凱爾森（Hans Kelsen，1881─1973），美籍奧地利法學家，純粹法學派創始人。1919 年任維也納大學教授，曾參加起草《奧地利共和國憲法》。1940 年移居美國，先後在哈佛、加州大學等校任教。主要著作有《法與國家的一般理論》、《純粹法理論》、《共產主義法律理論》和《什麼是正義》等。

　　《法與國家的一般理論》是凱爾森的代表作，全書分為法論一編、國家論一編及附錄「自然法學說與法律實證主義」。第一編論述了法律的概念、法律權利、法律義務、法律責任、法律效力及法律秩序等法律的一些基本問題。第二編論述了國家和國際法的基本概念和原理，尤其對分權、政府形式及組織形式做了大量論述。附錄對西方法學的兩大主流學派的區別作了分析。凱爾森還是規範法學派的創始人，他認為法律是有層次的規範體系，基礎規範出於核心地位，是傚力的來源。

丹寧勳爵

侮辱法庭

（三）有人要我們緘口

　　十分滑稽的是，關於這個問題的最後一個案件涉及道格拉斯·霍格先生的兒子——昆廷·霍格（Quintin Hogg）先生。那時昆延具有這樣一種身份，他的全稱是尊敬的王室法律顧問、下院議員昆廷·霍格閣下。現在他是聖瑪麗洛堡的海爾什勳爵（Lord Hailsham of St.Marylebone），是我們這個時代最有天賦的人物。作為政治家、演說家和哲學家，他是無與倫比的。工作之作，他還是一個作家、新聞記者和電視人物。精力充沛的時候他為《笨拙》（Punch）周刊撰稿。1968 年雷蒙德·布萊克本先生向法庭控告他犯有蔑視法庭罪。霍格曾批評上訴法院，言語之激烈和阿爾蒙先生批評曼斯費爾德勳爵不相上下。他的話全部記錄在《王國政府訴大都會警長案》的報告中，他說：

　　「由於法院（包括上訴法院在內）所作的不切實際的、互相矛盾的判決，特別是在重要的案件中所作的錯誤的判決，導致了 1960 年及以後的立法實際上未能實施……謹希望法院記住這條金科玉律：法官在發表附帶意見時，沉默永遠是一種選擇。」

　　1968 年 2 月 26 日星期一早晨，我們開始審理此案。布萊克本先

生親自提起訴訟。霍格先生雖然到庭，卻由我們這位時代最文雅的律師、王室法律顧問彼特·羅林森爵士（Sir Peter Rawlinson）（現在是羅林森勳爵〔Lord Rawlinson〕）作代理人。羅林森爵士告訴我們，霍格先生絕沒有侮辱法院或高等法官的意圖（他最尊重高等法官的人格和職業），但他堅持說：文章中的批評是霍格有權公開闡述的。我們接受了這個意見，像往常一樣立即發佈判決。我們沒有像威爾莫特法官先生那樣寫一份長達 28 頁的判決書，我是這樣說的：

「據我所知，要求本庭來審理一件據說是構成蔑視本庭罪的案件，這是頭一回。這無疑是一項屬於我們而我們又極少使用的審判權，尤其是在我們自己與事情有利害關係的情況下。

「同時，我要說，我們決不把這種審判權作為維護我們自己尊嚴的一種手段。尊嚴必須建立在更牢固的基礎上。我們決不用它來壓迫那些說我們壞話的人。我們不害怕批評，也不怨恨批評。因為關係到成敗的是一件更為重要的東西，這就是言論自由本身。

「在國會內外，在報紙上或廣播裏，就公眾利益發表公正的甚至是直率的評論是每一個人的權利。人們可以如實地評論法院在司法過程中所做的一切，不管他們的目的是否在於上訴，他們都可以說我們做錯了事，我們的判決是錯誤的。我們所要求的只是那些批評我們的人應當記住，就我們職務的性質來說，我們不能對批評作出答覆。我們不能捲入公開論戰，更不用說捲入政治性的論戰了。我們必須讓我們的行為本身進行辯白。

「儘管我們毫無遮掩地置於批評的風暴之中，但這個人或那個人所說的話、這個人或那個人所寫的文章都不能阻止我們做當時需要做

的事，只要這種事與手頭的工作有關。當問題發生時，我們不能保持沉默。

「這就自然引出這樣的結論：昆廷·霍格先生批評了法院，但他這樣做是行使自己無可置疑的權利。無疑，這篇文章有錯誤，但有錯誤並不構成蔑視法庭罪。我們必須最大限度地確認他的權利。

「我認為這不構成蔑視法庭罪，應當撤銷訴訟。」

（節選自〔英〕丹寧勳爵著，李克強譯《法律的正當程序》法律出版社 1999 年版）

編選說明 ●●●

丹寧勳爵（Alfred Thompson Denning，1899—1999），英國法官、學者、司法改革家。1957 年進入上議院，由於他對司法改革的突出貢獻，在他 58 歲這一年被封為勳爵。主要著作有《法律的訓誡》、《法律的正當程序》和《法律的未來》等。

丹寧勳爵的這本書，採用了以案說法的形式，闡述了一個英國上議院法官，一個擁有 60 年法律生涯的英國法律人的程序理念，讀起來通俗易懂，且將深刻的道理蘊藏在了一個個生動的案例和一篇篇結構嚴密的判決書或者法律意見書中。通讀下來，該書幾乎沒有一句經典的理論說教，而每一個法律故事都是那麼充滿爭議，而在解決爭議的過程中體現出了一位高級法官的睿智。

伯爾曼

● ● ●

路德主義對法律的影響

　　路德的改革和體現這種改革的德意志各公國的革命，通過消除教會的權能打破了教會法與世俗法這種羅馬天主教的二元制。在路德主義獲得成功的地方，教會逐漸地被作為無形的、無政治意義的和無法律意義的東西；僅有的主權和法律（政治意義上的）是世俗王國或公國的主權和法律。事實上，剛好在此前，馬基雅維里曾以一種新的方式使用「國家」一詞，用來表示純粹的世俗社會秩序。路德教的改革者們在一種意義上是馬基雅維里派：他們對人能夠創造反映永久法的人法的權力這一點持懷疑態度，他們明確否認發展人法是教會的任務。這種路德派的懷疑論使法律實證主義的法律理論的出現成為可能，它把國家的法律視為在道德上是中立的，是一種手段而不是目的，是一種表現主權政策和確保服從它的方法。但法律的世俗化和實證主義法律理論的出現只是路德宗教改革對西方法律傳統貢獻的一個方面。另一個方面是同等重要的。通過使法律擺脫神學教條和基督教教會的直接影響，這種宗教改革能夠使法律經歷一種新的和有前途的發展。用德國偉大的法學家魯道夫・索姆的話講：「路德的改革不僅是對信仰的革新而且也是對世界──宗教生活世界和法律世界──的革新。」

　　西方從 16 世紀開始的法律革新的關鍵是路德教個人權力的觀

念、這種觀念認為由於上帝的恩典，個人通過運用其意志可以改變自然和創造新型的社會關係。路德關於個人的觀念變為近代財產法和契約法發展的中心。當然，一種精製的和複雜的財產法和契約法在教會和商業社會團體中已經存在達數百年之久，但在路德主義那裏，它的中心點卻改變了。舊規則在一種新的整體中獲得了重新改造。自然界變成了財產；經濟關係變成了契約；良心變成了意志和動機。最後的遺囑變成了控制社會和經濟關係的主要手段，而它在早期天主教傳統中則是通過慈善捐贈拯救靈魂的一種手段。立遺囑人通過對他們意志和動機的直率表達，能夠在死後自由地處置他們的財產，企業主能夠通過契約安排他們的營業關係。這樣創設的財產和契約的權利，只要它們不違背良心，便是神聖的和不可侵犯的。良心賦予這些權利以神聖不可侵犯性。所以，在國家擺脫基督教教會控制的有限意義上的國家世俗化，伴隨著的卻是財產和契約的宗教化甚至神聖化。

因此，說路德主義沒有對 16 世紀統治歐洲的專制君主們的權力施加限制是不真實的。人們曾設想實在法的發展最終只依賴君王，但又假定，君王行使其意志時，將會尊重其臣民的個人良心，這便意味著也尊重他們的財產權與契約權。這個假定——無疑是根據不足的——依賴於 400 年的歷史、在這期間，就日爾曼民族起初的文化水準而言，教會已經成功地將法律基督教化到一種顯著的程度。因此，路德宗的實證主義——將法律與道德相分離，否認教會的立法作用，在政治的強制中發現了最終的法律制裁——不論如何都假定，在由作為基督教徒的統治者控制的人民和國家中存在著基督教的良心。

（節選自伯爾曼著賀衛方、高鴻鈞等譯《法律與革命——西方法律傳

統的形成》，法律出版社 2008 年版）

編選說明 ● ● ●

　　哈樂德‧伯爾曼（Harold J. Berman，1918—2007），世界知名的比較法學家、國際法學家、法史學家、社會主義法專家，以及法與宗教關係領域最著名的先驅人物。主要著作有《法律與革命》和《法律與宗教》。

　　《法律與革命》雖然是一部巨著，結構卻異常簡單，首、尾兩論專注於理論問題，但是篇幅甚小。除「導論」與「尾論」外本書又分兩個部分，此乃全書主幹：第一部分「教皇革命與教會法」，主要講「西方法律傳統」的各種淵源──民俗法背景、教皇革命、歐洲大學、神學──和教會法體系、結構等；第二部分「世俗法律體系的形成」，由世俗法概念始，依次論述封建法、莊園法、商法、城市法及王室法各分支。作者在一幅巨大畫布上描繪了西方法律傳統形成與演變的全景圖。

羅爾斯

正義的兩個原則

　　我現在將以一種暫時的形式，陳述我相信將在原初狀態中被選擇的兩個正義原則。

　　兩個原則的首次陳述如下：

　　第一個原則：每個人對與其它人所擁有的最廣泛的基本自由體系相容的類似自由體系都應有一種平等的權利。

　　第二個原則：社會的和經濟的不平等應這樣安排，使它們被合理地期望適合於每一個人的利益；並且依繫於地位和職務向所有人開放。

　　一般來說，這些原則主要適用於社會的基本結構。它們要支配權利與義務的分派，調節社會和經濟利益的分配。正如這些原則的公式所暗示的，這些原則預先假定了社會結構能夠劃分為兩個大致明確的部分，第一個原則用於第一個部分，第二個原則用於第二個部分。它們區別開社會體系中這樣兩個方面：一是確定與保障公民的平等自由的方面，一是指定與建立社會及經濟不平等的方面。大致說來，公民的基本自由有政治上的自由（選舉和被選舉擔任公職的權利）及言論和集會自由；良心的自由和思想的自由；個人的自由和保障個人財產的權利；依法不受任意逮捕和剝奪財產的自由。按照第一個原則，這些自由都要求是一律平等的，因為一個正義社會中的公民擁有同樣的

基本權利。

第二個原則大致適用於收入和財富的分配，以及對那些利用權力、責任方面的不相等或權力鏈條上的差距的組織機構的設計。雖然財富和收入的分配無法做到平等，但它必須合乎每個人的利益，同時，權力地位和領導性職務也必須是所有人都能進入的。人們通過堅持地位開放而運用第一個原則，同時又在這一條件的約束下，來安排社會的與經濟的不平等，以便使每個人都獲益。

這兩個原則是按照先後次序安排的，第一個原則優先於第二個原則。這一次序意味著：對第一個原則所要求的平等自由制度的違反不可能因較大的社會經濟利益而得到辯護或補償。財富和收入的分配及權力的等級制，必須同時符合平等公民的自由和機會的自由。

顯然，這兩個原則的內容是相當專門的，對它們的接受立足於某些假設，而我最終必須解釋和證明這些假設。一種正義論在某些方面依賴於一種社會理論，這些方面隨著我們的闡述將變得明朗起來。現在，我們應當注意到，這兩個原則（包括它所有的概括形式）是一種可以表述如下的更一般的正義觀的一個專門方面。

這一表述是：

所有社會價值——自由和機會、收入和財富、自尊的基礎——都要平等地分配，除非對其中的一種價值或所有價值的一種不平等分配合乎每一個人的利益。

這樣，不正義就僅是那種不能使所有人得益的不平等了。當然，這個觀念是極其含糊和需要解釋的。

作為第一步，我假定社會的基本結構分配某些基本的善——即分

配預計每個有理性的人都想要的東西。這些善，不論一個人的合理生活計劃是什麼，一般都對他有用。為簡化起見，假定這些社會掌握的基本善是權利和自由、權力和機會、收入和財富（在後面的第三編中將集中探討作為自尊的基本善）。這些善是基本的社會善。別的基本善像健康和精力、理智和想像力都是自然賦予的，雖然對它們的佔有也受到社會基本結構的影響，但它們並不在它的直接控制下。那麼，讓我們假設一個最初的安排，在這一安排中，所有的社會基本善都被平等地分配，每個人都有同樣的權利和義務，收入和財富被平等地分享。這種狀況為判斷改善的情況提供了一個水準基點。如果某些財富和權力的不平等將使每個人都比在這一假設的開始狀態中更好，那麼它們就符合我們的一般觀念。

那麼，下面這種情況至少從理論上是可能的：人們所放棄的某些基本的自由能從作為其結果的社會經濟收益中得到足夠的補償。我們的正義論的一般觀念並不對究竟允許哪一種不平等做出任何規定，它只是要求這種不平等能改善每一個人的狀況。我們不需要去假定某種類似奴隸制那樣極端的事情，而只是設想人們在這樣的情況下放棄某些政治權利，即當經濟回報是巨大的，而他們通過運用這些權利影響政策過程的能力卻是微乎其微的時候。但這種交換仍是上述兩個原則要排除的交換，由於它們的次序，它們不允許在基本自由和經濟社會收益之間進行交換。原則的次序表現了對各種基本社會善的一個根本的偏愛。當這種偏愛有合理性的時候，對處在這種次序中的原則的選擇也是有合理性的。

在確立作為公平的正義理論時，我將在很多地方把正義的這個一

般觀念擱置一邊，轉而專門考察兩個原則的先後次序的情形。這種做法的優點是從一開始就注意到優先的問題，並努力想找到處理它的原則。人們被引導到始終注意某些條件──在這些條件下，承認自由相對於社會經濟利益的絕對重要性（這是由兩個原則的詞典式次序決定的）將是合理的。

（節選自〔美〕約翰‧羅爾斯著，何懷宏、何包鋼、廖申白譯，《正義論》，中國社會科學出版社 1988 年版）

編選說明 ●●●

　　約翰‧羅爾斯（John Rawls，1921─2002），美國哈佛大學教授，西方新自然法學派的主要代表。主要著作是《正義論》。

　　羅爾斯的《正義論》一書，首版於 1971 年。該書不僅反映了西方學術界 20 年來爭論的主要問題，而且深刻反映了西方社會的內在矛盾。因此，該書的問世，在西方國家引起了廣泛的重視，被視為「二戰」後西方政治哲學、法學和道德哲學中最重要的著作之一。

　　羅爾斯的主要目的在於通過用正義即公平的觀念來取代功利主義的正義觀念，從而推動社會變化。他宣導自由權優先，考慮最少受惠者的利益。然而，由於在平等與自由之間，存在著制度上難以調和的缺陷，因此羅爾斯關於正義原則的理論，也帶有頗多的理想主義色彩，具有較多的道德主義因素。

張君勱

治者與被治者

　　我們明白了以上七種情形表面似乎很複雜，但是國家的治亂興衰，不外乎兩種人，一種治者，一種被治者。這兩種人如能瞭解其地位及權利義務所在，不怕國家不上軌道，不怕人民不能安居樂業了。

　　第一，治者地位如何？治者手握大權，決定政策，頒佈法令，賞罰進退天下人物，他的地位是很高的。但是他不過是一副大機器中一個發動機而已。他的地位是在全副機器若干連環中之一環，並不能拿國家的事，當為一己家事，如前段中所舉漢高祖所想像的。假定他是黨領袖或一國總統應先得到黨的擁護與民眾的擁護。就是說他的事業在謀黨與國家之發展。在二者有衝突時，應該先國而後黨。他在執行職務時，第一，應該遵守國家基本大法的憲法，第二，應忠實執行一切法規，如預算法、徵兵法。處處應依法行事，不可稍有逾越處。我們看見美國歷屆總統，有的是庸人，有的是非常人，所以他們的政策，有高明與不高明之分，但他們看憲法與法律，是神聖不可侵犯的，這態度是各人一致的。就是在與敵黨競爭時，也不敢因為他要奪取政權，把道德的規矩一切破壞毫無顧忌。美國廣播電臺，係私人事業，要用電臺作政治廣播，要花幾百萬美金。羅斯福與杜威競爭時，如羅斯福講了一點鐘，那就不能不讓杜威也講一個鐘頭，以表示對於彼此雙方，是同樣的公平的。惟其雙方能公平競賽，所以政治競爭

中，也有道德規矩存在。假令甲黨為求勝利之故，置道德法律於不顧，他黨亦復如此，這樣一個國家，除成為無法無天外，尚有何話可說。

　　第二，被治者地位如何？國內四萬萬人，不管高至領袖，低到乞丐，都是國家的主人翁。因為從主權屬於國民來說，他們都是國家主人翁。我常聽見國內人民說人民程度不夠。要知道人民程度夠與不夠，完全看人民有無衣食有無智識。有了衣食，才有智識，有了智識，自然有禮義廉恥之心。假定國家年年內亂，人民求安居而不得，自然無教無養。可見人民程度足與不足，全看國家有無教養。假定國家天天在內亂之中，人民程度永不會夠的。可見人民程度之提高，在於教養之普及，而教養方法之普及，又看國內和平是否確立。簡單來說，人民程度夠與不夠，責任在治者身上，不在被治者身上。第一，要有衣食，所謂衣食足而後知榮辱；第二，要他有教育，既富矣，又何加焉，曰教之。

　　但是從現代民主國來說，教養兩端，還是不夠。現代國家人民有參與政治之權利，須辨別哪個人應當選，哪個人不應當選。所以他得有參與政治的熱心，或行使人民權利的能力。人民不應但居於袖手旁觀地位，因為他只知道從旁批評，會養成他「看人挑擔不吃力」的習慣。所以政府一定要使熱心政治的人到議會裏去當議員，親聽見政府報告，與實際情形相接觸。同時允許他做反對黨，使他批評政府的時候，同時須拿出自己的政見，自己的辦法來。就是說你上臺時如何做法，應該預先說出來給人知道。這樣他對國家政治自然養成他的責任心（sense of responsibility）。這責任心三字不僅僅說參加政治而已，而

是說你來上臺時這個擔子如何挑法，國人亦預先可以知道一點。國家肯拿這樣地位給反對黨，自然反對黨不敢放之高論，專作不負責任的批評或專以搗亂為事。朝黨野黨輪流執政，自然全國人擔當國事的責任心，由此養成了。

（節選自張君勱：《民國憲法十講》，載《憲政之道》，清華大學出版社 2006 年版）

編選說明 ● ● ●

　　張君勱（1887—1968），原名嘉森，字士林，號立齋，別署「世界室主人」，筆名君房，江蘇寶山（今屬上海市寶山區）人。主持起草了《中華民國憲法》，被臺灣學者尊稱為「中華民國憲法之父」。

　　1945 年後，張君勱屢破政治僵局，成為了 1947 年中華民國憲法的主要起草者。憲法制定後，張君勱盡力演講，宣傳憲法思想，鼓勵施行憲政，最後他的講演集合成了一本書《中華民國民主憲法十講》。該書翔實地闡述了其憲法思想和憲政理念，闡述了他對 1947 年中華民國憲法的基本觀點和態度。

龔祥瑞

憲法的作用

　　從上述憲法的特點、憲法的起因中可以看出資本主義國家憲法的作用在於限制王權（分權）、保障私有，宣傳人民、鞏固政權，謀求社會的長治久安。

一、限製作用

　　憲法既起著授權作用，也就包括限制權力的作用在內了。授權就意味著限制。從法律上講，真正有效憲法一定具有下列明確的規定：（1）各種政治機構是怎樣組成的；（2）對這些機構賦予什麼職權；（3）這些職權是如何行使的。憲法對於許可權的劃分，各機構都必須遵守，即使是立法職權也在憲法之下、因而必須在憲法規定範圍之內行使。例如美國憲法修正案第一條關於「國會不得制定關於……的法律」的規定，顯然起著限制立法職權的作用。

　　憲法有限製作用，但限制的對象在不同時期、不同國家卻不相同。例如、英國最初確立了國王與貴族的分權，而後又確立了國王與議會之間的分權，前後頒佈了《大憲章》（Magna Charta，1215 年）、《權利請願書》（Petition Pact of Rights，1628 年）、《人身保護法》（Habeas Corpus Act，1679 年）和《權利法案》（Bill of Rights，1689 年），孟德斯鳩和盧梭等人吸取了英國政治的成果，找到了破除當時

法國極端專制的辦法。孟德斯鳩的「三權分立」論、盧梭的「天賦人權」論，對資產階級革命產生了極大的影響，並且成了後來立憲主義的理論根據。

限制王權、保障民權，這是資產階級反對封建的基本口號。等到資產階級取得了全部政權之後，就獨吞了反封建的勝利果實。美國聯邦主義者漢密爾頓等人在制定美國聯邦憲法時也說要限制政府的權力，但這時所要限制的，當然不是「王權」，而是各自獨立的州權和在獨立戰爭中湧現出來的人民民主力量。因此，美國憲法的作用就和 17 世紀的英國憲法不同，它不是要在各集團、各階級之間確立權力界限，而是要在資產階級內部各機構之間、領土單位和全國之間，確立權力界限。這說明，資產階級已經取得了全部政權，從而憲法也就失去了原始公約的性質，而變成為統治機構內部「以權制權」的最高法律了。

現代資本主義國家的憲法除了授權法而外，大抵都含有一種「權利宣言」或「權利法案」，有的甚至規定有反抗權的條款。憲法的限製作用，具體地表現在防止政府對這些權利的侵犯。這是立憲主義最主要的要求，其鋒芒是針對封建王權的。

二、統一作用

現代成文憲法，係從人民公約（Pact）或君民協定（Compact）中發展而來，結果產生了立憲君主制，即君主與資產階級聯合專政的協定，表現著列寧所說的「階級鬥爭中各種力量的實際對比關係」。因此，在一定歷史條件下，憲法變成了鬥爭著的各階級、各集團的「共同綱領」，也就是國家統一的象徵。美國這樣的一個聯邦國，既

無國王，又無國號，兩個世紀以來，確實只有這一部不到 10 頁的
1787 年憲法作為國家最高權威的象徵，把這個多民族、多中心和多
元化的社會結合而成為一個政治共同體。憲法的由來和發展過程即是
國家的統一過程。一般來說，人們從這樣一種實踐中瞭解到一個國家
不能沒有憲法。現在，再沒有人認為不成文憲法比成文憲法好了。英
國的「長久治安」，並非由於它沒有正式的成文憲法典，其政治發展
比較穩定，主要是靠它持有自我約束的傳統。現在新獨立的國家，絕
大多數都有它自己的憲法，即使有名無實，也要有一個，就是因為憲
法具有象徵獨立和統一的作用。

三、鞏固作用

　　上面已經提到，兩次世界大戰後制定的憲法，有的是軍事失敗的
產物，有的是民族獨立的結果：既無國家的統一，又無民主的事實，
亞非許多國家的憲法就是這樣。它們把注意力放在社會經濟的發展
上，或者放在實際權力的爭奪上，無暇顧及公民權利的問題，就像列
寧所指出的那樣，「人民根據經驗確信，如果人民代表機關沒有充分
的權力，如果它是由舊政權召集的，如果同它並存的舊政權還是完整
的，那麼人民代表機關就等於零」。

　　法（法律）和權（政權）並不矛盾。憲法總是權力的法律化，總
是統治階級最高意志的表現。誰掌權，誰就會頒佈憲法；變成它的合
法的外衣，因而或多或少要受它的約束，以確認其所取得的政權。這
種憲法不是承認已經爭得的民主。也不是為了實現真正的統一，其目
的只是為了鞏固政權。

四、宣傳作用

憲法有宣傳作用，即使有名無實，也會起作用；有的起教育作用，有的起欺騙作用。教育或欺騙被統治的階級，使他們堅持統治階級的意識形態。我們知道，即令在「君權神授」的專制時代，統治權也須在一定的宗教法和道德律的約束下行使的，如怎樣教育王儲按照世傳的規則行事。現在的英王就是自幼受憲法和憲法史的教育。通過宣傳，上自國王下至庶民，個個遵守。所以憲法——不論是成文的還是不成文的——都是加強法制，為統治階級服務和治國所不可缺少的工具，儘管不是惟一的工具。

以上所述，只是一般概括。憲法在不同的國傢具體地起什麼作用，則依各國的具體情況而定，不能一概而論。

（節選自龔祥瑞著《比較憲法與行政法》，法律出版社 2003 年版）

編選說明 ●●●

龔祥瑞（1911—1996），北京大學法學系教授、中國法學家、中國現代法學先驅之一。主要著作有《比較憲法和行政法》、《西方國家的司法制度》和《英國行政機構和文官制度》等。

《比較憲法與行政法》是龔祥瑞先生的一部相當有影響的作品，在比較法、憲法、行政法三個領域都佔有重要位置，具有很高的引用率。本書由比較憲法與比較行政法兩大部分組成，作者稱：「行政法是憲法的一部分，即是憲法的動態部分；憲法則是行政法的理論基礎。」因之合編。

擴展閱讀 ● ● ●

1. 〔意〕馬基雅維利著，馮克利譯《論李維》，上海人民出版社 2005 年版。

2. 〔英〕梅因著，沈景一譯《古代法》，商務印書館 1959 年版。

3. 〔英〕丹寧勳爵著，劉庸安等譯《法律的訓誡》，法律出版社 2000 年版。

4. 〔法〕盧梭著，何兆武譯《社會契約論》，商務印書館 2003 年版。

5. 〔英〕詹姆斯‧布萊斯著，張慰慈等譯《現代民治政體》（上冊），吉林人民出版社 2001 年版。

6. 〔法〕托克維爾著，馮棠譯《舊制度與大革命》，商務印書館 1992 年版。

7. 〔美〕羅爾斯，何懷宏、何包鋼、廖申白譯《正義論》，中國社會科學出版社 2006 年版。

8. 〔美〕科恩著，聶崇信、朱秀賢譯《論民主》，商務印書館 2005 年版。

9. 〔美〕孫斯坦著，金朝武、劉會春譯《設計民主——論憲法的作用》，法律出版社 2006 年版。

10. 〔英〕伯特蘭‧羅素著，吳友三譯《權力論》，商務印書館 1991 年版。

11. 〔美〕德沃金著，李常青譯《法律帝國》，中國大百科全書出版社 1996 年版。

12. 〔美〕諾齊克著，姚大志譯《無政府、國家和烏托邦》，中國社會科學出版社 2008 年版。

13. 〔美〕孫斯坦著，金朝武等譯《法律推理與政治衝突》，法律出版社

2004 年版。

14. 〔德〕卡爾‧施米特著，劉鋒譯《憲法學說》，上海人民出版社 2005 年版。

15. 〔奧〕凱爾森著，王名揚譯《共產主義的法律理論》，中國法制出版社 2004 年版。

16. 〔俄〕伊‧亞‧伊林著，徐曉晴譯《法律意識的本質》，清華大學出版社 2005 年版。

17. 〔俄〕帕舒卡尼斯著，楊昂、張玲譯《法的一般理論與馬克思主義》，中國法制出版社 2008 年版。

18. 〔英〕羅德里克‧馬丁著，豐子義、張寧譯《權力社會學》，三聯書店 1992 年版。

19. 〔英〕霍布斯著著，黎思復、黎廷弼譯《利維坦》，商務印書館 1995 年版。

20. 蔡定劍：《憲法精解》，法律出版社 2006 年版。第二篇法與人權

二 ··· 法與人權

馬克思

論猶太人問題

　　「絕對的批判」並不滿足於以自己的自傳來證實它固有的神通廣大，「正像創造新東西那樣首次來創造舊東西」。它也不滿足於親自出馬來為自己的過去作辯護。現在，它給第三者、其餘的世俗界提出了一項絕對的「任務」，而且是「目前的主要任務」，這就是為鮑威爾的行為和「大作」辯護。

　　《德法年鑒》刊載了一篇對鮑威爾先生的小冊子《猶太人問題》的評論。這篇文章揭露了鮑威爾把「政治」解放和「人類」解放混為一談的這個基本錯誤。固然，在該文中「首先」沒有對舊的猶太人問題提供「正確的提法」；但是，猶太人問題能夠得到考察和解決是依據了現代對全部舊問題的那種提法，也正是由於這種提法，舊的問題才由過去的「問題」變成了現代的「問題」。

　　事實上，鮑威爾先生已經指出德國猶太人的妄想：他們在沒有任

何社會政治生活的國家裏要求參與社會政治生活，在只有政治特權的
地方要求政治權利。在這方面已經向鮑威爾先生表明，他自己也沉浸
在關於「德國政治制度」的「妄想」之中，而且一點也不亞於猶太
人。正因為這樣，他以「基督教國家」不可能從政治上解放猶太人這
一點來說明猶太人在德意志國家的處境。他歪曲了事情的真相，他把
特權國家、基督教德意志國家設想成絕對的基督教國家。與此相反，
曾經向他證明：沒有任何宗教特權的政治上完備的現代國家，也就是
完備的基督教國家：因此，完備的基督教國家不僅能夠解放猶太人，
而且是真正地解放了他們，同時按這種國家的本性來說，也應該解放
他們。

　　「有人向猶太人指出……他們沉湎於關於自身的種種妄想之中，
儘管他們以為他們是在要求自由和要求承認自由人性，其實他們只是
力爭特權，別無他圖。」

　　自由！承認自由人性！特權！多麼動聽的字眼。為了進行辯護何
不使用這些字眼來規避某些問題！

　　自由？這裏指的是政治自由。已經向鮑威爾先生指出，當猶太人
要求自由而又不想放棄自己的宗教的時候，他正是在「從事政治」，
而不是提出任何與政治自由相牴觸的條件。已經向鮑威爾先生指出，
把人劃分為非宗教的公民和宗教的個人，這同政治解放毫不矛盾。已
經向他指出，當國家擺脫了國教並且讓宗教在市民社會範圍記憶體在
時，國家就從宗教下解放出來了，同樣，當單個的人已經不再把宗教
當作公事而當作自己的私事來對待時，他在政治上也就從宗教下解放
出來了。最後，已經指出，法國革命對宗教的恐怖態度沒有駁倒這種

看法，相反地，卻證實了這種看法。

　　鮑威爾先生不去研究現代國家對於宗教的真正關係，而認為必須給自己設想出一個批判的國家來，這樣的國家只不過是在他的幻想中把自己擴張為國家的神學批判家。當鮑威爾先生陷入政治中的時候，他總是重新把政治當作自己的信仰即批判的信仰的俘虜。只要他研究國家，他總是把它變成對付「敵人」即非批判的宗教和神學的論據。在他看來，國家是批判神學的心願的執行者。

　　當鮑威爾先生第一次擺脫了正統的非批判的神學時，在他的心目中，政治的權威就代替了宗教的權威。他對耶和華的信仰一變而為對普魯士國家的信仰。鮑威爾在自己的小冊子《普魯士福音教》裏面，不僅把普魯士國家奉為絕對，而且做得非常徹底，把普魯士王室也奉為絕對。但在事實上，這個國家並沒有喚起鮑威爾先生的政治興趣：相反地，在「批判」看來，這個國家的功績就是通過教會合併來取消宗教信條，利用員警來迫害異教派。

　　1840 年發生的政治運動使鮑威爾先生擺脫了他的保守派政治，並且一度使他上陞到自由派政治的水準。但是，這種政治，老實說，只不過是神學的藉口而已。在《自由的正義事業和我自己的事業》這一著作中，自由的國家是波恩神學院的批判家，是反對宗教的論據。「猶太人問題」把注意力主要是集中在國家和宗教之間的對立上，以致對政治解放的批判變成了對猶太教的批判。鮑威爾在其最近的政治著作「國家、宗教和政黨」裏終於暴露了這位把自己擴張為國家的批判家的那種最隱秘的心願。宗教為國家犧牲，或者，說得更確切些，國家僅僅是消滅「批判」的敵人即非批判的宗教和神學的工具。最

後，正像 1840 年以後的政治運動使批判擺脫了自己的保守派政治一樣，從 1843 年以來在德國傳播的社會主義思想使批判擺脫了一切的政治，從此以後，批判終於能把自己的反非批判的神學的著作說成是社會的作品，而且也可以毫無阻礙地來研究自己的批判的神學——使精神和群眾對立，——以及宣告批判的恩人和救世主即將降臨。

言歸正傳吧！

承認自由的人性？猶太人不只是想力求承認，而且真的是在力求承認「自由的人性」，這種「自由的人性」就是在所謂普遍人權中得到典型的承認的那種最「自由的人性」。鮑威爾先生自己則認為，猶太人力圖承認自己的自由的人性，正是說明他們力圖獲得普通人權。

在《德法年鑒》中已經向鮑威爾先生證明：這種「自由的人性」和對它的「承認」不過是承認利己的市民個人，承認構成這種個人的生活內容，即構成現代市民生活內容的那些精神因素和物質因素的不可抑制的運動；因此，人權並沒有使人擺脫財產，而是使人有佔有財產的自由；人權並沒有使人放棄追求財富的齷齪行為，而只是使人有經營的自由。

已經向他指出，現代國家承認人權同古代國家承認奴隸制是一個意思。就是說，正如古代國家的自然基礎是奴隸制一樣，現代國家的自然基礎是市民社會以及市民社會中的人，即僅僅通過私人利益和無意識的自然的必要性這一紐帶同別人發生關係的獨立的人，即自己營業的奴隸，自己以及別人的私欲的奴隸。現代國家就是通過普遍人權承認了自己的這種自然基礎。而它並沒有創立這個基礎。現代國家既然是由於自身的發展而不得不掙脫舊的政治桎梏的市民社會的產物，

所以，它就用宣佈人權的辦法從自己的方面來承認自己的出生地和自己的基礎。可見，猶太人的政治解放以及賦予猶太人以「人權」，這是一種雙方面相互制約的行為。當裏謝爾先生順便談到行動自由、居住自由、遷徙自由、經營自由等等時，就正確地闡明了猶太人力圖使自由的人性獲得承認的意義。「自由的人性」的所有這些表現在法國《人權宣言》中得到了極其肯定的承認。猶太人就更有權利要求承認自己的「自由的人性」，因為「自由的市民社會」具有純粹商業的猶太人的性質，而猶太人老早就已經是它的必然成員了。

黑格爾曾經說過，「人權」不是天賦的，而是歷史地產生的。而「批判」關於人權是不可能說出什麼比黑格爾更有批判性的言論的。最後，批判斷言，猶太人和基督徒為了使別人和自己獲得普遍的人權，應該放棄信仰的特權，它的這種斷言特別對立的是出現在一切非批判的人權宣言中的一項事實：信仰任何事物的權利，舉行任何一種宗教儀式的權利，這些都極其肯定地被認為是普通人權。此外，「批判」還應該知道，作為推翻阿貝爾派的藉口，主要就是由於它侵犯了宗教自由而硬說它是侵犯了人權；同樣，在後來恢復宗教儀式的自由時，人們也是以人權為口實的。

（節選自〔德〕馬克思著，中共中央馬克思恩格斯列寧斯大林著作編
　譯局譯《論猶太人問題》，《馬克思恩格斯全集》第 1 卷，人民出版
　　　　　　　　　　　　　　　　　　　　　　社 1956 年版）

編選説明 ● ● ●

　　馬克思（Karl Marx ，1818—1883）《論猶太人問題》一文寫於1843 年，發表於 1844 年的《德法年鑒》。

　　19 世紀，反猶太主義的歐洲和猶太人群體主張自己的政治權利，這兩者的現實矛盾呈激化趨勢，鮑威爾以《猶太人問題》一文打響了德國理論派貌似中立的反猶太主義的第一槍，力圖使猶太人的現實權利主張虛無化，馬克思以《論猶太人問題》對其反駁。本選文為《論猶太人問題》之一部分。在該文中，馬克思注意到人權與公民權間的不同，認為公民權是政治權利，是只有同別人一起才能行使的權利。人權不同於公民權，因為人權是市民社會的成員的權利，即脫離了人的本質和共同體的利己主義的人的權利。在馬克思看來，資產階級政治革命造成了人權和公民權之間的嚴重對立，這是「政治解放」所導致的深刻矛盾。這個矛盾之謎是很容易解決的，因為政治革命是市民社會的革命。馬克思用「人類解放」來同「政治解放」相對立，指出人類解放的完成，同時

　　意味著人權和公民權之間的一致性。馬克思認為，人權並沒有使人擺脫財產，而是使人有佔有財產的自由；人權並沒有使人放棄追求財富的行為，而只是使人有經營的自由。信仰任何事物的權利以及舉行任何一種宗教儀式的權利都是普通人權，所以，猶太人和基督徒為了使別人和自己獲得普遍的人權，就應當放棄信仰的特權。

耶林

為權利而鬥爭

（樞密官耶林教授 1872 年 3 月 11 日在維也納法律協會上的演講）

我尊貴的先生們！

當我翻開我的具有評論性的報告時，我不能抑制有些拘謹的心情。然而，我做好了準備，這個演講將遭到一些先生們的懷疑和取笑；假如我選擇了一個我熟悉的、數年以來在研究的主題，我似乎有十分充足的理由發表這個演講；且事實上，如果我在此時此刻仍可以挑選，即從學術匯纂中，從羅馬法史或從相關領域中選擇一個主題，我仍願意從中選擇一個。然而，我的先生們，我一直在思考從一個另外的立場來選擇主題，我打算，考慮到有愧於你們，選擇一個據我所知至今既無他人研究的、我本人也未探討的主題，同時，這是一個聽憑你們之中任何人評判的主題，一個我想說超出法學邊界的主題。對此，一個外行同樣有權像法律者一樣做出評判。

我把這個主題稱為「為權利而鬥爭」，且我也許在洋洋得意的狀態中，去定下一個主題，對它的內容，你們可能完全沒有什麼想法。

我們通常占主流的觀念，慣於把法權的概念與和平的、安寧的、秩序的觀念相連，且這一觀念，在一種立場看來，是完全合理的；像財產（作為享受的工具）觀念一樣，它同樣是合理的，同樣是真實

的。然而，另一種立場與之相對。在財產權上，享受的另一面是勞作，在法權上，和平和安寧的另一面是鬥爭。根據生活地位的不同，甚至我想說，根據歷史時代的不同，在這兩個概念上，顯得一會兒偏向一種立場，一會兒偏向另一種立場。

對於不費吹灰之力而獲得其財產的富足的繼承人而言，財產權不是勞作，之於他，財產權是享受；然而，對於成天想著獲取的艱辛的勞動者，財產權是勞動。

在法權的概念上也是如此。之於不知法權的奔忙的、幸運地保持著不受奔忙之苦的外行人，法權可能一直是和平，秩序；你們，我的先生們，在實踐上有經驗的法律者，你們知曉另外一面，你們知道法權同時是一場鬥爭，你們樂意在這場鬥爭中助一臂之力。

因此，在這兩種立場中，正好一種是指，法權主要是安寧、秩序與和平，我們的羅馬法學主要在這方面獲得影響。當一個年輕人離開羅馬法的課堂走進實踐生活時，他充滿了下述觀念：法如同語言一般，從民族情感中演進（如薩維尼所介紹的那樣）；這種法的完整觀念為自己開闢道路，即習慣法；這因此是那種法律信念的力量，這種力量在此得到證明。然而，這些信念必須艱難地鬥爭，這種鬥爭在語言同樣在藝術的發展中完全不存在，在薩維尼的觀念中這無足輕重。整個鬥爭重現於制定法效力的理論中。制定法的效力是組織者才智的產物；然而，制定法的誕生伴隨著巨大的艱難困苦，在巨大的痛苦中，在不斷地與和平的利益作鬥爭中發生，對此，在我們的理論中絲毫未提及。

然而，我的先生們，正好在當代，我們需要哪怕瞥一眼我們生活

的世界，以便看到法如何是一場不停歇的鬥爭……

我的先生們！在此貫徹諸如法必須鬥爭這類思想，不是我的使命。因此我將不談論法的形成，儘管你們允許我瞥了一眼，相反，我將談論權利的實現，也即普通私權的實現，或者，正如我已指明的，談論為權利而鬥爭。

這個鬥爭，我的先生們，正如它今天已存在的，從一開始就顯得沒有那麼高的利益。讓我們來比較一下這個鬥爭今天的形式與民族生活中暴力鬥爭的形式。如果我們思考一下那種鬥爭，那麼，它關涉到各個國家的命運，人類的命運；這裏涉及我和你的利益；這類鬥爭能為我們展現何種利益呢？

當然，我認為，我的先生們，能為你們證明，由於不法，我們輕視這種鬥爭，這種鬥爭可能具有一種倫理的，甚至是一種詩樣的意義。

眾所週知，私權的實現純粹是通過權利人的活動而發生。相對於在公權中，權利人是國家機關，公權的實現作為義務歸屬於國家機關，那麼，在私權中使其權利有效或放棄權利是個人的事情。然而，在抽象意義上的私法的現實性，在實現中，取決於他們的活動。抽象意義的法與具體意義的權利之間的關係，依我之見，為我們的學術極其片面地理解成：抽象意義的法是具體權利的前提，權利的可能性在制定法中被給定，且這種可能性變成了現實以及條件出現了。

完全如同私權，僅僅以一個抽象法律的存在為條件，真理、現實性也是如此，抽象法的統治，以存在於具體事物之中的活動為條件。換句話說：當單個的個人沒有實現其權利之時，當他們沒有勇氣去實

現它之時，那麼，抽象的法是一張僅存在於紙上的鈔票，沒有兌現，因為實現借由私權被侵害而發生。

在這個意義上，人們可能說，每一個人有道德的任務，共同作用於真理和一般上的法律，在其有限的範圍內，每一個人是制定法的守護者和執行者。

因此，我的先生們，如果或者是因為國家機關妨礙了這種鬥爭，或者是由於其它原因，民眾中重要的一部分人不再有勇氣實現其權利，這將會有何後果呢？這將導致有勇氣去實現自己使命的個人受到無限的妨礙。同樣，正如其餘的人退卻，加給個人以不同的重負。我想將之與在戰場上逃跑相提並論；當所有的人並肩戰鬥時，他們自身有一個支撐；一旦一個人退卻，那麼，留下者的任務就變得總是有危險的。實現自己的權利，是個人的使命，如果他不實現這個使命，那麼，他放棄的不僅僅是他自身的利益，而是其共同體的利益。

這樣，我的先生們，你們可能會問我，為何提出這類義務，為何還促使人們實現其權利，他本來要這樣做，其利益充分地決定著他，幸好利益是每一種權利的基礎，且利益是足夠的強大，以著手這種鬥爭。然而，利益是驅使我們投入到為權利鬥爭之中的唯一動機嗎？我否認……

從司法的家長制時代的許多案件中，我知道，一個訴訟判決對他來說是累贅的懶散法官，在小額的爭議標的案中，總是自掏腰包給原告提供標的物，並由此馬上決斷訴訟。我的先生們，我寧願拒絕這筆金錢，我想要我的權利！──這種權利的要求以什麼為基礎呢？它向我們提出了權利與人格相關聯的問題。依我之見，要求權利是人格自

身的一部分，權利源於人格；要求權利是我的工作，如同工作同樣顯示出的那樣，我自身的一部分體現在這個標的物上；它屬於我的權利的周邊，它幾乎是我的外展的力量，我的外展的人格，我是人格本身。

就是這樣。如果構成我的權利周邊中的某一部分遭受攻擊，那麼，中樞即人格本身會感受到，在此，權利的病理學因素便出現了：權利被侵害，這種狀況使權利的真實存在完全明瞭。猶如某個器官的病理性疾病向醫生表明了這個器官的真實意義，我的先生們，權利的侵害，向我們法律者顯示了權利與人格的真實生活和真實關聯。因此，這種權利如何被侵害，這種打擊告訴給了人格，對此，人格對此的反映是，這是對權利的傷害，人格將受到挑戰。

明顯地，根據對權利的不同侵害，反應本身也是不同的，激烈或不那麼激烈。終究存在一種侵害，在那裏，個人能完全克服這種情感。我設想一種標的物丟失的情況，在此，我是否將提出返還財產的請求，之於我不是人格的問題，在此，這是一個純計算的問題；由於我放棄了訴訟，我並未失去我自己和我的權利。然而，當對手的個人責任與客觀不法相連，就完全不同於蓄意的不法，不同於侵害我的故意。因為這種侵害不再是純粹侵害財產，且它不再關涉利益問題，而是關涉到我的人格。當我拒絕鬥爭時，這同樣是怯懦的表現。依我之見，在這種權利被故意侵害的情況中，進行鬥爭是一種個人對自己的義務，一種對集體的義務。個人顯得是國家的代表來反對不法，被分配了任務，在其許可權內拒絕不法……

因此，我的先生們，當涉及人的權利時，人格的敏感性，我們也

能將之稱為對是非感的敏感性，在個人那裏是非常不同的，同樣在不同的時代，在每個民族那裏，也是不同的。我曾經常提出那個問題，即這緣何如此？如果這與民族的個人性相關，這是民族觀念的差別嗎？噢，不是！我的結論是，它與對財產權的不同評價相關。

財產權對每一個家族，對每一個個人不是相同的重要：評價主要依賴於財產權的獲得。一個必須努力與自然，與土地抗爭，以保障其生存的勞動民眾，會每天想起財產權的意義。之於他，財產權顯得是許多勞動，許多匱乏，許多艱辛的表現。因此，不同於相對緩和的方式去獲得財產的時代，這個時代把財產和對財產權的損害，視為以完全不同的方式對個人本身的侵犯。讓我們以城市與鄉村對立的現代為例。如果我們想一想城市的居民與農村的農民，即使處在同樣的財產關係之中，那麼，我堅信，雙方將用完全不同的眼光來打量金錢。在城市，如在維也納，評價的方式不是取決於艱苦勞作的人們，而是取決於相對容易獲得財產權的人，這一評價方式後來成為一般價格的標準。相反，在每一個人都瞭解的農村，賺錢是多麼艱難，因為對財產權的評價完全是另外的樣子，對不是艱難勞作的人也是如此。因此，我的先生們，這也適合不同的時代。我們今天的時代變得不同於古羅馬，而以另外的方式去看待財產犯罪，在古羅馬，勞動，我想說，支配著懲罰，在我們這裏，完全不同的觀念居主導地位。

因此，對侵權的反應程度也取決於侵犯的方式，以及取決於這種再次強調的立場，取決於財產權對個人的遠近。

這源於至今的觀念：主體必須為財產權所進行的鬥爭，不僅僅對於主體自身是道德滿足的問題，而且還同樣對於集體有特別的重要

性。之於主體，這是一個道德的自我維護的問題；對主體的尊重受制於主體能出具證明，他在受到激怒的情況中沒有膽怯地退縮。我業已在前面詳細地給出了鬥爭對於集體的意義，從中可以得出，國家有最緊迫的義務用一切方式培育個人的情感，強有力的是非感。這最終有賴於權利實現的保障。

對此有另外一種觀點。在私人生活中，必須訓練道德的力量，因為是非感必須經過和經受訓練，以便在最高的領域，在國家的緊急防衛情況中，是非感當處在良好的狀態。一個在私權的低層領域中沒有勇氣進行公正鬥爭的民族，也將沒有勇氣在關涉到國家和國家的權利時進行爭鬥。

維護私人生活中的是非感，是政治家教育的最重要的任務，因為今後將決定國家命運的整個道德力量最終從中產生，

那麼，國家、制定法能用何種方式去維護這種是非感呢？

通過現在把目光投向羅馬法，我願對此予以回答。依我之見，立法不僅應通過訴訟制度，而且尤其是應通過滿足這種公正的憤怒來緩和這種鬥爭。制定法應該在財產被侵害、侵權發生的地方，不單單局限於對損害進行補償，恰如在客觀不法的情況中，而且制定法應該把這種侵權的情況看作一種嚴重的不法，即便是在私法上，只要不可能產生刑事處罰，以便在這種情況中滿足被損害的是非感。現在，我將來證明，這在羅馬法中是如何做的。

在古羅馬法中，這被適當的規定為，在一個不法中，不論對方有無過錯，不論一個侵權的人是有意或故意為之，不論他是否由於過錯還是疏忽侵犯我的權利，很少有區別；這些是不重要的。古羅馬法沒

有區別他在道德上的考慮，是否是故意還是疏忽，嚴重的疏忽還是輕微的疏忽，而是那個人得到屬於我的東西，他至少佔有了它而且不願將它返還給我就夠了。因此，像我所稱之的那樣，在此，純客觀的不法的情況本身，被判以完全像主觀不法一樣的相同處罰。據古羅馬法，在返還財產之訴中，當被告敗訴時，他必須支付雙倍的賠償；在那裏，將不問他是否故意地扣下我的財產。同樣，在對法院的財產返還令的上訴中，總是要求支付雙倍的賠償；在那裏，將不問我的前物主是否有意的賣給我他人的財產，他把它賣給了我，他就必須支付我雙倍的價金。在另一個場合，我已經羅列了這些情況，且就羅馬法而言，能夠說，這大大超出了公正的考慮這種情緒的程度……

　　在有些案件中，裁判官公開發佈一個禁令，尤其是一個禁止運用權力令。至今為止，雙方當事人之間的案件，也許更多是一個客觀不法的問題；從最高司法官發佈其禁令開始，案件就改變了；誰現在還在繼續違抗，那麼，他的違抗就指向最高司法官本人；最高司法官作為法律的代表立於受害人之前。這時，為對手提供了一種是讓步還是不讓步的選擇；最高司法官說：如果你不讓步，當知道，這不再是合法還是不合法的問題了，而是關涉到公然的違法。羅馬法中一個相似的制度是法官裁決。在某些請求權中，羅馬法官並不立即判決罰款，而是先讓你選擇，如果我能夠這樣說，這是一個寬容的舉動，他的判決為實物賠償，在被告一方就存在著他是願意接受這一建議還是不接受。只要法官此時已告知了自己對案件的立場和判斷，此時，一切不從，便屬於一個完全另外的立場。被告不能請求原諒他只是以為在捍衛其權利，且此時如果他不遵照命令，他將會受到懲罰，這就是，被

告被允許估價宣誓。

　　我的先生們，中期羅馬法就是這樣。在我的眼裏，它是理想的。在這個法中，受傷害的是非感的要求，得到了完全的承認；同樣與那些古羅馬法所展示給我們的極端規定不同，它們也不同於另外一種處理方式，我將過一會兒再給出其特點。在中期羅馬法中，這一傾向達到其頂峰。然而，在晚期帝國時代這種傾向減弱了；在晚期法律史的文獻中對之反映出的可讀到的特點為：民眾的道德力量式微了、麻痹了，奴才相的是非感佔據著古羅馬法學家。因此，法律規範也改變了。一系列早期出現的懲罰不見了。將借貸還給債權人被以卑劣的方式予以否定，只是還錢給他。保證在某時支付的債務人，不再多支付一半。被告是否惡意的否認債務，結果完全一樣。這一在我看來是後來法律中有特點的形式，在根本上表現出對債務人的同情，債權人的權利在很多情況中被犧牲了，這是一個墮落時代的象徵。（喝彩聲！持續的喝彩聲！）一旦立法者為了不刺激債務人，出於錯誤的權利幻想，獻出債權人的永久的、美好的權利。（喝彩聲！）

　　這導致了無信用，我不敢在此繼續詳說我的見解，我似乎擔心，當我再次極其粗暴的對抗這一傾向時，變成了誹謗，也許我也沒有這個權力，然而，我的見解是，我們今天也在飽受這個錯誤之苦。（暴風雨般的喝彩聲！）

　　那麼，我的先生們，你們的喝彩聲，極大地鼓勵著我此刻作最後一躍，即從優士丁尼時代的法律，轉向今天的法律。我對這一方面的判斷，不是非常的良好的；我們比憂士丁尼時代退得更遠。在憂士丁尼時代的法律中，還存在一些具有上述目的之設置；我們已沒有理

智，或者也許沒有勇氣，去應用其法律。人們認為，我們可以這樣說，我們今天的私法已通過了博學的過濾。學者同樣不是象生活中的人們，像實踐者那樣去感受；對於我們近代的私法，人們指出，它被學者操控著。

在憂士丁尼法律中仍存在的羅馬法的那些制度，人們已簡單地拋棄了。對否認的、可恥的否認的重要懲罰留在哪裏呢？這些懲罰出現在我們的教學大綱裏，私刑同樣如此；在生活中它們不起作用。因此，今天債權人，之於他，債務的存在被用卑劣的方式否定了，所處的境地與那些要求債務人的繼承人償還債務的人一樣。這合乎正義嗎？這甚至意味著，簡直是在獎勵否認。在最善意的情況中，親愛的先生什麼也不支付，在最不善意的情況中，他做他原先必須應做的事情：付帳。我願意來看看我們司法的主要弊端，看看損害之訴。（喝彩聲！）

是的，我可能只是感到高興，我不處在一個有損害之訴之中，既不作為律師，也不作為當事人按照我所知道的程序來訴訟。當我看到，整個損害之訴，用何種方式，意在使債權人失去其有利的權利，我的坦率的是非感感到不滿，遭受損害的倒楣蛋，無論他可能提起或不提起訴訟，他總是承擔著損害。（暴風雨般的喝彩聲！）但這還是我們的權利不薈於無依無靠的另外一面。我自己曾處在這種感到痛苦的場景。這是一個與我的女僕有關的案子。她突然想離開，聲稱她已解約；但她沒有解約。我不可能做什麼，對此我無能為力。我向員警尋求幫助；那個女僕被詢問並坦白，沒有解約，但仍然不想繼續幹下去；最後，有人在警察局對我說：「為了利益請您起訴。」（持續的

哄堂大笑）法院見那個女僕否認，警察局是一個唯一的證人，其資格……我可以說，因為我已經感受到所遭受的不法的痛苦，一旦人們擁有其有利的權利，且國家的制度是這個樣子的時，即人們用其最大的意願不能使其權利產生作用，不能使權利得以貫徹。我對今天的法律規定進行指責，這些規定預計到，出於強烈的是非感，人們今天簡直是在被強迫實施了一些卑鄙的法令，我剛剛還說到它們，而置其有利的權利於不顧……

　　我的先生們！就這樣了，我已經在這上面耽誤的夠多了。但是，我們發現，我們今天的時代是遠遠不能適應我在此提出的諸多要求，在我們今天的制度中，隱蔽地培養起濃厚的簡樸的是非感，必須成為未來的使命。

　　因此，我可以說，我的論述的核心是：犧牲一種被侵害的權利是怯懦的行為，人們的這一行為招致恥辱，招致對共同體的最大損害；為權利而鬥爭是倫理的自我維護行為，是一種對個人自己和集體的義務。

　　因此，我根本無意與新的哲學，與赫巴特一道，從厭惡爭執中使權利產生；我根本無意承認在這一上述意義上對爭執具有興趣有什麼錯，如果我的演講能有助於喚醒為權利而鬥爭，那我想把它印出來。我認為，挑選出這樣的要點，比現在已經勞心費力說了許多的部分更為重要。感謝你們的傾聽。（暴風雨般的、持續數分鐘的喝彩和鼓掌！）

（節選自〔德〕魯道夫‧馮‧耶林著，鄭永流譯《為權利而鬥爭》，

中國法制出版社 2000 年版）

編選說明 ● ● ●

魯道夫‧馮‧耶林（Rudolf von Jhering，1818—1892），生於德國北部奧利西的一個法律世家。耶林以其不朽成就，得以與薩維尼、祁克並列，成為十九世紀西歐最偉大的法學家，也是新功利主義法學派的創始人，其思想不僅對西歐，而且對全世界都產生了巨大影響。主要著作有《羅馬法的精神》、《法律的目的》、《為權利而鬥爭》等。

《為權利而鬥爭》是德國著名法學家耶林的代表作，在世界範圍內引起轟動。耶林在離開維也納返回德國並進入哥廷根大學之前，在維也納法學會上發表了《為權利而鬥爭》的演講。這篇演講獲得了極大的成功，兩年內即印到了十二版，此後又被譯為 20 多種文字。耶林在演講中提到，「法的目標是和平，而實現和平的手段是鬥爭。只要法必須防禦來自不法的侵害——此現象將與世長存，則法無鬥爭將無濟於事。法的生命是鬥爭，即國民的、國家權力的、階級的、個人的鬥爭」。耶林在演講中雄辯地批評了薩維尼所認為的「法的形成同語言的形成一樣，是在無意識之中，自發自然形成的，既無任何角逐，亦無任何鬥爭」這一觀點。耶林的話提醒我們，不要安穩地沉浸於所謂的「自生自發演進秩序」的幻景之中，而要去靠鬥爭去爭取權利，去呼喚法律，而在當下的國內，這種幻景正在一定範圍內成為我們隨波逐流，無所作為，甚至綏靖保守的理由。事實上，在一個迷霧般的恐懼氛圍中，越來越多的人加入鬥爭的行列將是拯救自己從而也拯救他人的唯一途徑。

貝卡利亞

刑訊

　　為了迫使罪犯交待罪行，為了對付陷於矛盾的罪犯，為了使罪犯揭發同夥，為了洗滌恥辱——我也不知道這有多麼玄虛和費解，或者為了探問不在控告之列的另外一些可疑的罪行，而在訴訟中對犯人進行刑訊，由於為多數國家所採用，已經成為一種合法的暴行。

　　在法官判決之前，一個人是不能被稱為罪犯的。只要還不能斷定他已經侵犯了給予他公共保護的契約，社會就不能取消對他的公共保護。

　　在野蠻的古老法制中，烈火和沸水的考驗以及其它一些捉摸不定的械鬥曾被稱作神明裁判，似乎上帝手中永恆鏈條的環節在任何時候都會被人類輕率的手段所瓦解和脫節。而那個名聲不佳的真相試金石，正是今天仍保留的古老法制的紀念碑。刑訊和烈火與沸水的考驗之間所存在的唯一差別就在於，前者的結局似乎依賴於犯人的意志，而後者的結局則依賴於純粹的體格和外在的事實。但是，這種差別只是表面上的，而不是實際上的。在痙攣和痛苦中講真話並不那麼自由，就像從前不依靠作弊而避免烈火與沸水的結局並不那麼容易一樣。我們意志的一切活動永遠是同作為意志源泉的感受印象的強度相對稱的，而且每個人的感覺都是有限的。因而，痛苦的影響可以增加到這種地步，它佔據的人的整個感覺，給受折磨者留下的唯一自由只

是選擇擺脫眼前懲罰最短的捷徑，這時候，犯人的這種回答是必然的，就像在火與水的考驗中所出現的情況一樣。有感性的無辜者以為認了罪就可以不再受折磨，因而稱自己為罪犯。罪犯與無辜者間的任何差別，都被意圖查明差別的同一方式所消滅了。

無辜者被屈打成招為罪犯，這種事真不勝枚舉，用不著我多費筆墨。沒有哪一個國家和時代不存在這種事例。但是，人們對此既無動於衷，又不汲取教訓。沒有一個人會使自己的思想超越生活的需要，甚至不理睬本性用秘密而微弱的聲音向他發出的呼喚。刑訊的習慣是對人思想的暴虐，使他畏懼，使他退縮。

每一個人的體質和感覺各不相同，刑訊的結局正體現著對個人體質和感覺狀況的衡量和計算。因此，一位數學家大概會比一位法官把這個問題解決的更好：他根據一個無辜者筋骨的承受力和皮肉的敏感度，計算出會使他認罪的痛苦量。

審查犯人就是為了瞭解真相。真相有時會從大部分人的面目表情中不期而然地流露出來，然而，如果說從一個平靜人的語氣、姿態和神色中很難察覺出真相的話，那麼，一旦痛苦的痙攣改變了他的整個面目表情，真相就更難流露出來了。任何強暴的行為都混淆和抹殺了真假之間微小的客觀差別。

這些真相已經為羅馬立法者所認識，他們僅僅對少數完全被剝奪了人格的奴隸才採用刑訊。這些真相也已為英國所接受，在那裏，文字的光榮，貿易和財富——也就是實力——的崇高地位，美德和勇敢的典範，使我們完全相信他們法律的優良。在瑞士，刑訊已經被廢除，被歐洲的一位最賢明的君主所廢除。這位熱愛臣民的立法者，把

哲學帶上了王位，使臣民們自由和平等的依靠法律，這是人們在目前的事物組合中唯一可以求得的平等和自由。

軍隊大部分是由下流社會的成員組成的，因此，它們好像更需要採用刑訊，然而，這些軍的法律卻不認為刑訊是必不可少的。有些人並不把刑訊看成是多麼重大的暴政，在他們看來，和平的法律應當向那些對屠殺和流血已麻木不仁的心靈學習最人道的審判方式，真是咄咄怪事。

這一真理終於被那些對它採取迴避態度的人所察覺，儘管是模模糊糊的察覺。在刑訊過程中做出的交待，只有經中止刑訊後的宣誓加以肯定才生效。然而，如果犯人不加以肯定，就還要再受折磨，有些學者和國家只允許這種聲名狼藉的預期理由最多適用三次，另一些國家和學者則把它留給法官去裁奪。

兩個同樣的無辜者或罪犯，強壯勇敢的將獲得釋放，軟弱怯懦的將被定罪處罰。其根據就是這樣一種明確的推理：「我，法官，責任是找出這一犯罪的罪犯。你，強壯者，能抵禦住痛苦，我釋放你。你，軟弱者，屈服了，我就給你定罪。據說屈打成招的東西靠不住，如果你們不再證實過去的交待，我將重新折磨你們。」

刑訊必然造成這樣一種奇怪的後果：無辜者處於比罪犯更壞的境地。儘管二者都受到折磨，前者卻是進退維谷：他或者承認犯罪，接受懲罰，或者在屈受刑訊後，被宣佈無罪。但罪犯的情況則對自己有利，當他強忍痛苦而最終被無罪釋放時，他就把較重的刑罰改變成較輕的刑罰。所以，無辜者只有倒楣，罪犯則能佔便宜。

那些安排了刑訊的法律告訴人們：「你們忍受住痛苦吧！如果說

自然在你們身上創造了一種不可泯滅的自愛精神，並賦予你們一種不可轉讓的自衛權利的話，那麼，我為你們創造的則是一種恰恰相反的東西，即勇敢地痛恨自己。我命令你們指控自己，即使骨位脫臼，也要講實話。」

為了考查某個罪犯是否還犯有控告以外的其它罪行而採用刑訊，這等於是說：「你是某一罪行的犯人，那麼，你也有可能是其它各種罪行的犯人，這使我深感懷疑，我要用我的真相標準核實一下。法律折磨你，因為你是罪犯；因為你可能是罪犯；因為我想你是罪犯。」

最後，為了使其揭發同夥，對被告人也實行刑訊。但是，揭露同夥也屬於應該查清的真相之一。如果說，刑訊的確不是揭示真相的正確方式，那麼，它怎麼會有助於揭露同夥呢，這不也是一種需要揭示的真相嗎？一個指控自己的人，難道不是更容易指控他人嗎？為了其它人的罪行而折磨人，難道是公正的嗎？難道通過考查證人和犯人，通過各種證據和物證，總之，通過一切可以有助於查清被告人罪行的途徑，還揭露不出被告人的同夥嗎？

（節選自〔意〕貝卡利亞著，黃風譯《論犯罪和刑罰》，中國方正出版社 2004 年版）

編選說明 ● ● ●

貝卡利亞（Cesare Bonesana Beccaria, 1738—1794），意大利刑法學家，近代資產階級刑法學鼻祖。

　　《論犯罪與刑罰》是第一部系統研究現代刑法理論的著作，它系統地闡明了現代刑法和刑事訴訟法理論的基本原則，成為刑事法律從古代法走向近代法乃至現代法的開端，被刑法學者們奉為經典之作。貝卡裏亞也被資產階級刑法學者譽為近代刑法的始祖，他在該書中所確立的原則為以後的刑法變革奠定了基礎。今天各國的刑事法律的基本原則和基本司法制度都是在貝卡裏亞思想的直接或者間接影響下確立的。

伯恩斯

法律上的同等保護：什麼含義

　　美國憲法第十四條修正案宣佈：「無論何州（包括其下屬單位）不得拒絕給予在其管轄下的任何人以同等的法律保護。」雖然沒有限制全國政府的同等保護條款，但第五條修正案的正當程序條款一向被認為是對全國政府所加的同樣限制，要注意，同等保護的限制僅適用於政府行動，並不適用於私人行動。因此，重要的問題總是在於：所指責的歧視行動是否為政府的行動（法律上通常叫「國家行動」──抑或僅僅是政府所不支持的，與政府行動無關的私人行動）

　　憲法並不阻止政府對人們加以區別，因為不這樣做就不能制定法律。憲法所禁止的是不合理的分類。一般來說，如果分類所造成的類別同可以允許的政府目標沒有關連，那麼這種分類就是不合理的。例如，禁止紅頭髮人參加選舉的法律就是不合理的。另一方面，法律規定不滿 18 歲的人沒有選舉權，未經父母允許不得結婚，不能申請駕駛汽車執照，看來是合理的（至少對大多數未滿 18 歲的人來說是合理的）。

　　我國最傷腦筋的憲法問題之一是，怎樣區別合理分類和不合理分類。最高法院已經制定了各種檢驗標準：合理基礎，可疑分類，半可疑分類和基本權利。

一、合理基礎檢驗標準

確定一項法律是否符合同等保護要求，傳統的檢驗方法是把舉證的重擔放在指責該法律的人身上。如果不存在引起不滿的歧視，並且事實證明分類合理，那麼這項法律就確認為正當的，即使造成某些不平等也沒有關係。在通常情況下，如果最高法院選用這種合理基礎檢驗標準，有疑問的法律將得到認可。不過，有時候州的法律甚至達不到這種檢驗方法的最低標準，例如阿拉斯加州奉命：盈餘收入的分配，該州老公民不得多於新來者。又如，某市奉命：智力低下者申請成排住房不需要有特殊用途批准，因為申請其它多層住房不需要這種批准。

在以下三種情況下，當一項法律受到根據同等保護條款提出的指責時，最高法院還要採用比合理基礎檢驗更要嚴格的標準：涉及可疑分類，涉及半可疑分類以及涉及基本權利。

二、可疑分類

可疑類別，是歷史上遭受無資格之苦、過去受到故意的不平等待遇、或被社會貶低到政治上無權地位，從而需要特殊司法保護的類別，種族和民族出身是可疑分類。宗教也是如此，雖然最高法院尚無這方面的裁決，也許因為各州極少將人們按宗教分類。就州(並非國家)的法律強加於外國人的政治上無資格而言，按無公民資格將人們分類是另一種可疑分類。

一項法律如果涉及可疑分類，則該法律符合憲法的正常推斷即被否定。這種僅僅作為處理特殊問題的合理手段的法律是不夠格的，需

要受到嚴格審查。必須讓最高法院相信，既有「公眾的迫切關注」證明這種分類是合理的，而且又沒有其它限制性較小的辦法來實現這一公眾迫切的目標。

三、半可疑分類：私生和性別

有些人堅稱，強行規定私生子無資格的法律，應像按種族分類的法律一樣，接受嚴厲的考查。最高法院一直不願意走得那麼遠。然而，鑑於私生子的處境不如婚生子有利這一長期形成的歷史情況，最高法院已將有關私生子的法律放在「更顯著的地位」予以審查，僅僅比適用於可疑分類，諸如種族的法律稍不嚴厲而已。

按性別分類又怎麼樣？直到 1971 年才宣佈按性別分類違憲。在這以前，據稱為婦女提供特殊保護的許多法律──諸如密西根的一項法律禁止除酒店老闆妻子和女兒以外的任何婦女當酒吧間女招待──都受到贊同。正如大法官威廉‧布倫南在 1973 年代表最高法院所寫的：「毫無疑問，我國的性別歧視有漫長的不幸歷史。在傳統上，這種歧視是以『浪漫主義的家長式統治』姿態合理化的；其實際效果，不是把婦女放在受人尊敬的地位，而是把她們關在籠子裏。」

今天，最高法院的觀點是，按性別分類雖不像按種族分類那樣可疑，但要受到「更顯著的審查」。為了認可按性別的分類，政府有責任證明其服務於「重大的政府目標」，並與這些目標有實質性的關係。僅僅基於「陳詞濫調、漫無邊際的推論」、「陳舊概念」和「社會長期強加於婦女身上的角色類型」，而沒有更多實質性理由的支持，不同（或相反）地對待婦女和男人是不准許的。如果政府的目

標是「由於某一性別的成員被認為有天生缺陷或天賦較差而予以保護」，這種目標本身就是不合法的。

近年來，最高法院已經撤銷了大部分（但不是全部）送來的被指控為歧視婦女的法律。（最高法院拒絕撤銷的法律包括只徵男兵和文職工作優先照顧退伍軍人）最高法院還保留了一些據說是歧視男性的立法。總的說來，「除了選舉權以外，美國婦女的法律地位在近 20 年中比過去 200 年中有了更大的改善」。

總之，按性別分類雖然不是可疑分類，但在取得最高法院確認以前，需要有相當充分的理由。

貧窮是否為可疑分類？人們一直敦促最高法院將貧窮作為可疑類別，但最高法院「從未認為，光是經濟困難就可在分析同等保護時作為可疑類別」。因此，州可以依靠財產稅提供學校經費，即使這樣意味著「富裕」地區學校每個學生的花費比貧窮地區學校學生多。

年齡是否為可疑或半可疑分類？年齡不是可疑類別，也不是半可疑類別。在歷史上，我國的法律與慣例通常按年齡加以區分：如領取駕駛執照，不經父母同意結婚，上學，買含酒精飲料等等。許多政府機構有針對特定年齡的計劃；如針對老年公民、成人學生、中年職業人員。雖然最高法院已拒絕將年齡作為需要特殊司法保護的可疑分類，國會對「老年權力」做出的反應，越來越把年齡作為受保護類別對待。國會已將政府或州際雇主以老年為由的歧視宣佈為非法，並已禁止對大多數雇員實行強制退休，少數特殊批准的職業不在此限。大約有 1／3 的州已通過類似法律限制強制退休。國會還禁止向剝奪老年人福利的任何計劃或活動提供聯邦撥款，除非年齡是該計劃或活動

正常運作中的一個因素，例如專門為兒童制定的計劃。今天由就業機會均等委員會提出的法院訴訟大約有1／4涉及年齡歧視的申訴。

四、基本權利

除了對州按可疑分類制定的條例進行嚴格審查外，最高法院還對侵犯「基本權利」的法律作同樣嚴格的審查。然而，大法官對什麼東西使一項權利成為基本權利並不太清楚。按照大法官路易斯·鮑威爾在聖安東尼奧學區訴羅德里格茲案（1973年）中的解釋，一項權利是否為基本權利，既不是根據它的社會重要性，也不是根據大法官對它的重要意義所作的結論來作出決定的，而要取決於該項權利是否受到憲法明確的或隱含的保障。根據這一檢驗標準，旅遊權和選舉權一向被確認為基本權利，如同第一條修正案規定的諸如為促進政治信仰而聯合起來的權利一樣。然而，受教育、獲得住房或享受福利的權利卻並不認為是基本權利。儘管許多人感到這些權利至關重要，但它們並不受憲法保障，憲法也沒有任何具體條款保障這些權利不受政府調控。

（節選自〔美〕詹姆斯·M担伯恩斯著，陸震綸等譯《民治政府》，
中國社會科學出版社1996年版）

編選說明 ● ● ●

詹姆斯·F担伯恩斯（James Francis Byrnes，1879—1972），美

國政治家，曾擔任最高法院大法官。伯恩斯曾長期在美國威廉斯學院任教，並榮獲伍德羅‧威爾遜教授稱號。主要著作有《自由的側風》、《人民憲章：在美國對權利的追求》等。

　　《民治政府》是美國暢銷不衰的經典著作。該書全面介紹了美國的政府與政治情況，包括美國政治制度的思想基礎、美國政治體制的架構、美國政府的運行等內容。在本選文中，伯恩斯提出，同等保護的限制僅適用於政府行動，而不適用於私人行動。顯然，憲法並不阻止政府對人們加以區分，而僅禁止對人們進行不合理的分類。一般來說，如果分類所造成的類別同可允許的政府目標沒有關聯，那麼這種分類就是不合理的。確定一項法律是否符合同等保護的要求，

　　傳統的檢驗方法是把舉證責任施以指責該法律的人身上。若是不存在引起

　　不滿的歧視，且事實證明分類合理，那麼這項法律就確認為正當的。如果一項法律涉及可疑分類（如種族、民族出身、宗教等），則該法律需要受到嚴格審查，以證明此種分類是否合理。儘管像私生、性別等分類不屬於可疑分類，但在取得最高法院確認前，需要有相當充足的理由。就「貧窮」與「年齡」的分類而言，它們均不屬於可疑或半可疑分類。此外，除了對州按可疑分類制定的條例進行嚴格審查外，最高法院還對侵犯「基本權利」的法律作同樣嚴格的審查。

詹寧斯

集會自由

　　根據普通法，在公路上的任何地方集會都是妨害公共利益的行為，就可以被提起刑事控告。「企圖不拘人數、不限時間在公路上集會從而對其它享有平等權利者構成妨礙的人的主張，從本質上說與自由通行權不相容，因此，就我們的判斷能力而言，不存在任何支持上述主張的根據。」按照 1835 年《公路法》第 72 條，阻塞任何人行道或其它公路的行為也是違法的，認為集會僅阻塞部分路面，不參加集會者可以繞行，這不能構成抗辯的理由。同樣，參加特拉法加廣場或任何類似地方的集會也都是違法行為。如果員警命令某人「走開」而他卻拒絕服從，那麼他就犯了妨礙員警執行公務罪。人們也沒有在公園或海灘集會的權利。根據 1857 年的《圈地法》第 12 條和 1876年《公地法》第 29 條的規定，在城鎮、村莊的草坪，或者在市民租種公地的菜地上集會也是違法的。此外，實踐中，所有的公地、公園和其它公共場地的使用，都要受制於依法定權力制定的地方法規。事實上，並不能僅僅因為害怕其它某些人試圖干擾集會而破壞治安，就使得本身合法的集會變成非法的集會。但確立這項原則的貝蒂訴吉爾班克斯一案卻被認為是一個「有點不盡如人意的案件。」無論如何，它是因為非法集會，而不是因為阻塞道路或妨礙公共利益而被起訴的（實際上，集會與遊行有關，遊行似乎不一定構成阻塞交通，因為

遊行者在行使他們的通行權；同時又很難設想遊行不是一種阻塞行為）；如果在集會中有任何非法行為，那麼該集會即為非法。

結果是，只有在私人宅院內並經所有者同意或在公共的空曠場地或者在沒有通行權問題的公園才能夠集會，並且，即使如此，還要取得地方機構的許可以及遵守地方法規。甚至在私人宅院內舉行公共集會時，如果員警有理由懷疑集會將妨害治安，那麼他們就有權到會場監督。儘管在正常的情況下他們未經所有者同意無權進入私人宅院。在公共集會上演說的人通常會被指控使用了侮辱性的語言，而不是犯有更嚴重的罪行。1936 年《公共秩序法》第 5 條規定：「任何人在任何公共場所或者在任何公共集會上，使用恐嚇，辱　或侮辱性語言或行為，旨在煽動擾亂治安或者可能因此而導致擾亂治安」都構成犯罪。「公共集會」包括在公共場所的任何集會以及允許公眾或者公眾的任何一部分參加的任何集會，無論收費還是不收費。「公共場所」意指任何公路、公園或花園、海灘、公共橋樑、道路、小巷、人行道、廣場、短街、胡同或者通道，不論是否為通道；而且包括當時公眾可以進入或者被允許進入的任何空地，無論是否收費。「集會」意指為討論公共利益問題或者為了表達對這些問題的意見而舉行的聚會。根據後來由 1936 年《公共秩序法》第 6 條修正的 1908 年《公共集會法》，在合法公共集會上以阻止公務處理為目的的擾亂秩序行為應受到處罰。在公共集會或遊行中攜帶攻擊性武器也是一種犯罪。

根據英國法律，甚至可以採取「預防性拘留」，儘管它需要法院的命令而不僅僅是員警的決定。簡易裁判法庭根據愛德華三世時期制定法第 34 號第 3 條第 1 款以及該法所賦予的治安管理權，可以命令

某人提交保證金，藉以保證他能夠對「英王和他的臣民」或任何私人保持安分或行為端正。而無須有任何特定的個人受到不應當的威脅。實際上，也無須存在任何旨在導致暴力意義上的擾亂治安的事情。如果沒有遵守法庭的命令，法庭可以判決被告接受為期不超過 6 個月的拘禁，儘管他沒有明顯的犯罪。

公共遊行通常是根據有關地方的法令以及地方法規來控制的。根據 1936 年《公共秩序法》第 3 條的規定，無論何種情況，只要員警總長有理由擔心遊行可能偶發嚴重的公共秩序混亂，他就可以發佈指示要求組織或參加遊行的人遵守在他看來是維持公共秩序所必需的條件，包括規定遊行路線以及禁止遊行隊伍進入任何劃定的公共場所。而且，自治市或市轄區議會經國務大臣同意或向員警總長申請後，可以在不超過 3 個月的期限內，禁止一切公共遊行或任何級別的公共遊行。在倫敦市區和首都督察區，這項權力由國務大臣直接行使。

《公共秩序法》第 1 條禁止穿著官方制服參加遊行（警察局長被賦予了有限的豁免權）。該法第 2 條規定：任何人參與控制或管理或者組織訓練任何這種團體的成員或追隨者都是犯罪，即組織、訓練和裝備的目的是為了使團體成員能夠受雇傭去行使篡奪員警或皇家軍隊的職能；或者是為了使他們在促進任何政治目的的實現中能夠雇傭來作為物質力量使用或加以顯示，或者他們的做法使人們有理由認為他們是為了這種目的而被組織起來以及訓練或者裝備的。

因此，英國法律不僅在保護法律所確定的憲法秩序方面是嚴格的，而且在保護公共秩序方向也是嚴格的；而且我們可以從上面提到的情況看出，近年來的立法和司法判決使它更加嚴格了。

　　因為公共遊行的方式有了發展，法律在執行上也變得更加嚴格，不論遊行是採取「飢餓進軍」的方式，還是採取示威的方式。一般說來，如本文前面所述，這方面法律的執行是在法院，特別是在治安法官的控制下進行的。然而，近期的立法，特別是 1936 年的《公共秩序法》，已授予員警自由裁量權。其實，員警一直行使著自由裁量，因為實際上正是他們決定是否起訴，或者是否將某人提交法庭令其交納保證金。但是，一旦員警行使了自由裁量，被告即處於法院的控制之下了。在很多情況下，沒有治安法官的命令，他是不可能被逮捕的。沒有命令而被逮捕的人，員警必須盡可能將他提交簡易裁判法庭；如果不能在逮捕開始後的 24 小時內提交，高級法官必須考慮是否將其釋放。實際上，在通常情況下，被監禁者於 24 小時內被提交法院，而且總是不超過 48 小時。被監禁者或其它代理人，可以請求高等法院法官發出人身保護狀，以便調查監禁的原因。因此，除了根據 1936 年《公共秩序法》實際授予員警的自由裁量權以外，員警的自由裁量只在於放寬法律的限制，他們並沒有處罰的自由裁量權。

　　在這些方面，英國的法律及其執行較其它國家要更趨於自由。懲治擾亂治安行為的法律的嚴峻在某種程度上可以用允許人們宣傳他們所贊成的政策這一實踐來解釋。專制政體害怕對抗遠遠超過害怕擾亂治安的行為，因為對抗意味著革命。而對於我們來說，對抗是正常的憲法慣例的一部分。議會中有個反對黨，事實上，反對黨領袖是由公共基金支付薪金的。整個選舉過程假定，有反對政府的候選人，也有支持政府的候選人。反對政府的「權力」意味著陳述反對政府意見的權利，並且意味著有權採取各種合理的公開方式以達到此種目的。依

此推之，這種權利還包括對個人和階層的批評；教育選民投票反對某個政黨與煽動人民對某一社會階層採取動亂行為之間的界限必然十分微妙。「全世界無產者聯合起來；你們失去的只是鎖鏈」或者「驅逐猶太人」等口號可能是在投票站作為聯合選民力量的倡議，也可能是暴動或叛亂的號召，一切都要視具體情況而定。

　　可能如同人們有時所斷言的那樣，英國法律過於嚴厲。或者員警的自由裁量並非無論什麼時候、什麼地點都能公正無私地行使；但是重要權力置於民主政府控制之下的危險性遠遠小於置於獨裁者控制之下。只要存在自由選舉，就總有可能迫使政府行使權力不過於偏執，因為有一個反對黨在監督著政府權力的濫用，而且他們能夠勸說選民，因為政府濫用權力而應當撤換政府，即便沒有其它理由。獨裁者的反對派被視為國家的敵人；因為獨裁者就是國家，惟有革命才能推翻他。基本自由權就是自由選舉的權利以及隨後的其它權利，同時至少也包括對這些權利的某些限制。

　　（節選自〔英〕詹寧斯著，龔祥瑞等譯《法與憲法》，生活・讀書・
新知三聯書店 1997 年版）

編選說明 ●●●

　　艾沃・詹寧斯（Ivor Jennings，1903—1965），英國著名憲法學家。主要著作有《法與憲法》、《內閣政府》和《議會》等。

　　《法與憲法》是詹寧斯的代表作。在該書中，詹寧斯主要闡釋了

構成現代英國憲法基礎的根本理念。他認為，憲法乃是人們的一種結合體，它的特性取決於處於統治和被統治地位的人們的特性。在此方面，憲法是一種轉變中的事物，像萬花筒的色彩一樣變幻不定；對憲法運作的研究包括對各種社會和政治 力量的考察，正是這些力量造成了民眾及其社會各階層的觀念、願望和習慣的

變化。在本選文中，詹寧斯提出，集會自由是指一國公民所享有的由憲法賦予的聚集在一起討論公共利益問題或為了表達對這些問題的意見而舉行的集會的自由。根據英國的普通法，在公路上任何地方集會都是妨害公共利益的行為，就可以被提起刑事控告。阻塞任何人行道或其它公路的行為也是違法的。結果是，只有在私人宅院內並經所有者同意或在公共的空曠場地或在沒有通行權問題的公園才能夠集會，並且，即使如此，還要取得地方機構的許可及遵守地方法規。甚至在私人宅院內舉行公共集會時，如果員警有理由懷疑集會將妨害治安，那麼他們就有權到會場監督。此外，英國的法律還禁止穿著官方制服者參加遊行。

伯林

●　●　●

兩種自由概念

一、消極自由的觀念

　　我們一般說，就沒有人或人的群體干涉我的活動而言，我是自由的。在這個意義上，政治自由簡單地說，就是一個人能夠不被別人阻礙地行動的領域。如果別人阻止我做我本來能夠做的事，那麼我就是不自由的；如果我是不被干涉地行動的領域被別人擠壓至某種最小的程度，我便可以說是被強制的，或者說，是處於奴役狀態的。當然，強制並不是一個涵蓋所有形式的「不能」的詞。強制意味著在我可以以別的方式行事的領域，存在著別人的故意干涉。只有當你被人為地阻止達到某個目的的時候，你才能說缺乏政治權利或自由。純粹沒有能力達到某個目的不能叫缺少政治自由。此外，當我相信我因為一種我認為不公正或不公平的制度安排而處於匱乏狀態時，我就涉及了經濟的奴役或壓迫。判斷受壓迫的標準是：我認為別人直接或間接、有意或無意地阻礙了我的願望。在這種意義上，自由就意味著不被別人干涉。不受干涉的領域越大，我的自由也就越廣。

　　自由的所有捍衛者中最雄辯者，本傑明‧貢斯當，沒有忘記雅各賓專攻，堅持至少宗教、言論、表達與財產權利必須受到保障，不得武斷地入侵。傑弗遜、柏克、潘恩、穆勒開列了個人自由的不同清

單，但是阻止權威入侵的論點始終沒有變。如果我們不想「貶抑或否定我們的本性」，我們必須保有最低限度的個人自由的領域。我們不可能處於絕對自由狀態，因此必須放棄我們的一些自由以保持另外一些。但是完全的放棄是一種自我挫敗。那麼這種最小限度應該是什麼？一個人不經過殊死搏鬥便不能放棄的，是他的人性的本質。

在穆勒的著名論文裏，他宣稱，除非個體被允許過他願意的生活，「按只與他們自己有關的方式」，否則文明就不會進步；沒有觀念的自由市場，真理也不會顯露；也就將沒有自發性、原創性與天才的餘地，沒有心靈活力、道德勇氣的餘地。社會將被「集體平庸」的重量壓垮。所有豐富與多樣的東西將被習慣的重量、人的恒常的齊一化的傾向壓垮，而這種齊一化傾向只培育「萎縮的」能力，「乾枯與死板」、「殘疾與侏儒式的」人類。「異教徒的自我肯定」與「基督徒的自我否定」同樣屬於人的價值。「一個人不顧勸說與提醒而可能犯下的所有錯誤，其為惡遠不及允許別人強制他做他們認為於他有益的事；」對自由的捍衛就存在於這樣一種排除干涉的「消極」目標中。用迫害威脅一個人，讓他服從一種他再也無法選擇自己的目標的生活；關閉他面前的所有大門而只留下一扇門，不管所開啟的那種景象多麼高尚，或者不管那些作此安排的人的動機多麼仁慈，都是對這條真理的犯罪。

自由，在這個意義上，無論如何，並不與民主或自治邏輯地相關聯。大體上說，與別的制度相比，自治更能為公民自由的保存提供保證，也因此受到自由主義者的捍衛。但是個人自由與民主統治並無必然的關聯。對「誰統治我？」這個問題的回答，與對「政府干涉我到

何種程度？」這個問題的回答，在邏輯上是有區別的。最終，正是在這種區別中，存在著消極與積極自由兩種概念的巨大差異。當我們試圖回答「誰統治我？」或「誰告訴我我是什麼不是什麼、能做什麼不能做什麼？」，而不是回答「我能夠自由地做或成為什麼？」這個問題時，自由的「積極」含義就顯露出來了。民主與個人自由的關聯要比這二者的許多擁護者所認為的還要脆弱。自我管理的要求，或至少參與我的生活由以得到控制的過程的要求，也許是與對行動的自由領地的要求同樣深刻的願望，甚至在歷史上還要更加古老。但這並不是對同一種東西的要求。事實上，這兩種要求是如此的不同，以致最終導致了支配我們這個世界的意識形態的大撞擊。因為，在「消極」自由觀念的擁護者眼中，正是這種「積極」自由的概念──不是「免於……」的自由，而是「去做……」的自由──導致一種規定好了的生活，並常常成為殘酷暴政的華麗偽裝。

二、積極自由的觀念

　　「自由」這個詞的「積極」含義源於個體成為他自己的主人的願望。我希望我的生活與決定取決於我自己，而不是取決於隨便哪種外在的強制力。我希望成為我自己的而不是他人的意志活動的工具。我希望成為一個主體，而不是一個客體；我希望是一個行動者，也就是說是決定而不是被決定的，是自我導向的，而不是如一個事物、一個動物、一個無力起到人的作用的奴隸那樣只受外在自然或他人的作用。當我說我是理性的，而且正是我的理性使我作為人類的一員與自然的其它部分相區別時，我所表達的至少部分就是上述意思。

　　成為某人自己的主人的自由，與不受別人阻止地做出選擇的自由，初看之下，似乎是兩個在邏輯上相距並不太遠的概念，只是同一個事物的消極與積極兩個方面而已。不過，歷史地看，「積極」與「消極」自由的觀念並不總是按照邏輯上可以論證的步驟發展，而是朝不同的方向發展，直至最終造成相互間的直接衝突。

　　澄清這一點的方法之一，是從自我控制的比喻所獲得的獨立動能開始，這個比喻一開始可能是無害的。「我是我自己的主人」；「我不是任何人的奴隸」；但是我會不會是自然的奴隸？或者是我自己的「難以駕馭」的激情的奴隸？這難道不是同一類「奴隸」的許多種屬嗎？人難道沒有把自己從精神的或自然的奴役中解放出來的經驗？在這種解放的過程中，他們沒有一方面意識到一個居於支配地位的自我，另一方面意識到他們身上注定處於受支配地位的東西？於是，這種支配性的自我就等同於理性，我的「高級的本性」，我的「真實的」、「理想的」和「自律的」自我，或者等同於我的「處於最好狀態中的」自我；這種高級的自我與非理性的衝動、無法控制的欲望、我的「低級」的本性、追求即時快樂、我的「經驗的」或「他律」自我形成鮮明對照；這後一種自我受洶湧的欲望與激情的衝擊，若要上陞到它的「真實」本性的完全高度，需要受到嚴格的約束。現今，這兩種自我有可能被描繪成為更大的鴻溝所分裂；真實的自我有可能被理解成某種比個體更廣的東西，如被理解成個體只是其一個因素或方面的社會「整體」：部落，種族，教會，國家，生者、死者與未出生者組成的大社會。這種實體於是被確認為「真正」的自我，它可以將其集體的、「有機的」、單一的意志強加於它的頑抗的「成員」身上，

達到其自身的因此也是他們的「更高的」自由。用有機體的比喻來為一些人對另一些人的強制──這種強制以將他們帶到「更高」層次的自由為名義──作辯護，其危險之處經常被指出。但是使這類語言顯得貌似合理的，是這個事實：我們認識到，以某種更高的目標的名義對人施以強制，這樣做是可能的，有時是有理由的；關於這種目標，如果受強制者更開化一些，他們自己就會主動追求，而他們沒有追求，是因為他們盲目、無知或腐敗。這很容易使我自己相信，我對別人的強制是為了他們自己，是出於他們的而不是我的利益。於是我就宣稱我比他們自己更知道他們真正需要什麼。

隨之而來的是，如果他們是理性的並且像我一樣明智地理解他們的利益，他們便不會反抗我。但我的要求不會就此停止。我有可能宣稱他們現在實際上追求的正是他們在愚昧的狀態下有意識地抵抗的，因為在他們當中存在著一個隱秘的實體，即他們潛在的理性的意志，或他們的真實目的，而這種實體雖然被他們公開的感受、言行所掩蓋，卻是他們「真實的」自我，是處於時空中的可憐的經驗自我一無所知或知之甚少的自我；我有可能聲稱這種內在的精神是惟一值得認真對待的自我。當我採取這種觀點的時候，我就處在這樣一種立場：無視個人或社會的實際願望，以他們的「真實」自我之名並代表這種自我來威逼、壓迫與拷打他們，並確信不管人的實際目標是什麼，它們都必須與他的自由──他的「真正的」、雖然常常是潛在的與未表達的自我的自由選擇──相同。

就「積極的」自由的自我而言，這種實體可能被膨脹成某種超人的實體──國家、階級、民族或者歷史本身的長征，被視為比經驗的

自我更「真實」的屬性主體。但事實上，作為自我控制的「積極」自由概念，及其所暗示的人與其自身份裂的含義，在歷史上、學說上與實踐上，很容易把人格分裂為二：超驗的、主導性的控制者，與需要加以約束並使其就範的欲望與激情的集合。真正有影響的，便是這樣一種歷史事實。在這個事實證明，自由的概念直接源自於什麼東西構成自我、人格與人的觀念。對人的定義加以足夠的操縱，自由就會包含著操縱者所希望的任何意義。晚近的歷史已經使這一點變得太明顯了。這個問題不僅僅是一個學術問題。

（節選自〔英〕以賽亞・伯林著，胡傳勝譯《自由論》，譯林出版社
2003 年版）

編選說明 ●●●

　　以賽亞・伯林（Isaiah Berlin，1909—1997），英國哲學家和政治思想史家，20 世紀最著名的自由主義知識分子之一。1928 年進入牛津大學攻讀文學和哲學，1932 年獲選全靈學院研究員，1957 年成為牛津大學社會與政治理論教授。主要著作有《卡爾・馬克思》、《概念與範疇》、《自由四論》等。

　　《自由論》是伯林最重要著作《自由四論》的修訂與擴充版，在英國政治思想史上，被譽為繼彌爾頓《論出版自由》、穆勒《論自由》之後第三部里程碑式的著作。伯林因此書所表達的思想，成為 20 世紀復興古典自由主義價值的最重要思想家之一。1958 年 10 月 31

日，伯林在牛津大學發表了一篇影響深遠的就職演說，這就是著名的
《兩種自由概念》。在這篇論文中，伯林把西方哲學和政治理論中的
自由概念進行了梳理，尤其是對政治自由的含義和表現形式作了細緻
的分析和比較，在此基礎上提出了關於自由的新的概念。伯林區分了
兩種自由概念，即積極自由和消極自由，在他看來，積極自由意味著
自我控制和自我實現，而消極自由則是一個不受外在力量干涉的私人
領域。伯林對於自由概念的分析將人們對於自由的理解引向深入，它
揭示了 20 世紀人類政治實踐對於傳統的自由概念的衝擊，具有現實
的針對性。

大須賀明

環境權與利益衡量

　　在「環境權論」之中，亦存在著將環境權絕對化、從而排斥利益衡量的觀點。對此學術界多持批評意見，指責其放棄了應該一邊比較衡量各種利益、一邊謀求妥當解決的柔軟性，有著脫離實際而談解決的危險。確實如此，當初「環境權論」過於強調保護環境的價值，給人一種排除所有利益衡量的強烈印象。但是到了今天，「環境權論」的學者也已明確承認，自己並不一概排斥利益衡量了。果然，假如我們將環境視為絕對之物的話，那麼在如此之意義上，人類至今所進行的資源的開採、生產的實施、文明的發展，就要被以破壞環境的名義全部否定光了，故這是缺乏合理性的。總而言之，將環境價值視為絕對之物而排斥所有的利益衡量，這並非正確之論。

　　那麼，應該如何看待利益衡量呢？

　　被稱為「環境權論」者明確主張，應該把良好環境的保護，當成進行利益衡量之際具有第一位選擇價值的原則。但例外之處是，比如像鄰接區域糾紛性公害案件所昭示的那樣，在鄰接居民處於同等立場之上時，就可以承認一定的利益衡量。

　　對於這種見解，被稱為「忍受限度論」者則認為，只要不超過忍受的限度，對環境的利用原則上並不違法，應當把對忍受限度內各種利害關係進行比較衡量的判斷，全面地委任於法院的裁判。

　　據說在這兩種見解之間，存在著價值觀和認識的基礎性的不同。就是說，「確實，『忍受限度論』在生命、健康受到侵害之時，也承認應該否定利益衡量，而『環境權論』則對於鄰接居民處於對等立場之上時的鄰接區域糾紛性公害案件，也承認一定的利益衡量。因此僅從這一點看，一眼看來給人的感覺並無太大的差異；但是，事實上兩種理論在公害受害、環境保護的重要性之認識上，還是存在著基本價值觀的不同的。而且這樣的不同並非單純地停留於價值觀之上，在表現於私法的機能和保障範圍上，也有著基本認識的相異」。

　　在此，讓我們從憲法的角度出發，再來分析一下這兩種見解的不同之點。對於「忍受限度論」者所持的利益衡量，已有批評意見指出：「認為『環境保護和產業開發兩者均具重要的社會價值』，從而從平面的價值並列出發而進行『利益衡量』的方法，有很大的危險是蹈襲原有的企業，即實際是讓開發的利益優先，使環境作出犧牲。在如今已無法挽回的環境破壞的推進當中，原有的這種無原則而實際上有利於企業方面的所謂『利益衡量』，可以說已經到了應從根本上重新進行構建的時候了。」這樣的批評，對於已經無法挽回的環境破壞的發展狀況，或者對於有可能惡化下去的環境破壞，均可以說是一箭中的。然而，環境保護與產業開發兩者，是否均能以並列的價值成為利益衡量的對象呢？如果說不能，那麼我們對其回答不得不是否定的。事實上，如果產業開發能增進人類進步與福利的話，那麼即使做出一點環境的犧牲也應該加以推進。如此在兩者利害關係的平衡中，謀求產業開發正當化的事實早已存在。但是，這種理論妥當是有限度的，即產業開發帶來的環境破壞，必須停留於依靠環境自我淨化能力

可以自己治癒的範圍內。在如此階段或者水準之上，這種理論是妥當的。然而像今日這樣，伴隨產業開發而來的嚴重破壞，已導致了環境不可挽回的惡化。在這樣的階段再進行兩者並列性的利益衡量，就會壓倒性地不利於環境保護的一面。這一點已經明顯是毋需詳述之論。

　　利益衡量論正當與否，或者說重要與否，這必須將其置於應當加以區別的兩個階段分別進行分析：其第一階段即環境破壞能夠由自然的淨化能力自行治癒的階段，而第二階段則是環境破壞已經無法靠自然的淨化能力自行治癒、破壞了自然迴圈的階段。可以說，「忍受限度論」者所持的利益衡量論，是在第一階段形成的，且在此階段屬於妥當的理論；而「環境權論」者所持的利益衡量論，則屬於以第二階段為基礎而形成的理論。

　　「環境權論」者能預示到嚴重的環境破壞將有威脅人類生存之虞，從而積極地肯定保護良好環境具有著第一要義上的重大價值，此實為一種高明之見。

　　與此相比之下，對於「忍受限度論」者，儘管我們必須積極地肯定其歷史性作用，但是在其以傳統手法來對應新階段的環境破壞這一點上，卻殘存著諸多的問題。而最成為問題者，就是在進行利益衡量之際，其本身沒有必須優先加以肯定那樣的重要價值的存在，再者就是沒有提出作為利益衡量尺度的應有基準。這樣，進行利益衡量時，就會隨心所欲，使衡量有傾向行政或者企業的利益一方之危險性。

　　另一方面，在「環境權論」之中也存在這樣理論上的缺陷，即其對良好環境概念的界定，對應該加以排除的環境權侵害之實際狀況的認識，均是不明確的，故對環境權侵害的認定就只能孤立地陷入一個

一個的個案中；也正因為如此，在這裏還有必要對利益衡量的基準，作更加深入的探討。在此之際，我們就一定要準確地評價環境秩序本身所具有的價值，制定出評價的基準。因為即使是進行了環境評價，而且是依照某項手續實施的，但是如果基準不明確或者不正確，利益衡量就會成為無原則的衡量，有時甚至會造成讓行政方面來主導利益，從而無法保障居民方面的環境利益。

在此，想就利益衡量的基準問題，提出以下若干見解。

首先，是諸如侵害居民健康與生存、使居民陷入危險境地那樣的生產，一開始就不能把它們拿來作為利益衡量的對象，而是僅據這些理由就應該將其當作加以排除的對象。而且，在環境破壞的第一階段，對於環境保護和產業開發之類的利益，可以進行利益衡量，但在此時應該充分地運用生存權的基本宗旨加以評價，這是毋庸置言的。此外，關於該產業帶來的環境破壞可以借助自然的自我淨化能力自行恢復之事，必須要通過科學評估作出證明，而且這樣的證明要經受得起反證。

其次，在環境破壞的第二階段，應該鑒於環境破壞的嚴重性，而從生存權基本宗旨的立場出發，確立起環境保護優先的原則。為此，對於破壞生態的行為，如超過自然的自我淨化能力或與此不適應的生產，或者會導致生物絕種的產業開發，是不能許可的。在文化性環境之時，對於會給文化價值環境帶來不可恢復的破壞之生產和開發，當然也不能許可。然而，人類的生產、進步本身與自然秩序有著相互對立的一面，原來同第二階段的基準所不一致的生產與進步之形態也是存在的，所以全面地禁止這樣的生產也會成為問題。如果一概加以禁

止了，那麼連製造乙烯樹脂等合成物質的所有物理化學的研究開發都要受到制約，具有文化價值的街道和遺址的一切開發都不能進行了。為此之故，我們對於如此之類的生產與開發，限於下列條件可以對其進行利益衡量。這些條件為：其一，這樣的生產與開發，在人類社會的進步中是必不可缺的；其二，這樣的生產與開發，對於環境所有的價值不會造成不可逆轉的損失，而且通過總量和比率等各種限制，其生產與開發完全可以得到社會控制；其三，在具有文化價值的環境中的生產與開發，除了前述兩項條件之外，還要通過科學調查，以證明這種文化價值可以充分地能夠得到代替和維持。當然，如此通過利益衡量而獲得的生產與開發，只能是對於原則的例外事項，所以承認必須停留於必要的最小的限度之上。

　　現在，與上述所言的兩個階段的層次立場不同，有的學者則從更為廣大的範圍出發，提出了環境權的問題。這就是在被稱之為生態危機的廣大的意義上，如何理解又如何調和人類生產中一般不可避免的自然環境破壞和保護的矛盾問題。在這裏，我們所觀察的視點，不再是人（企業與國家等）對人的問題，而是有必要轉向人（人類的生產發展方向）對自然環境的問題；實際上，從全球的觀點來評價環境權的基準，就成了我們所直接面對的課題。

（節選自〔日〕大須賀明著，林浩譯《生存權論》，法律出版社 2001
年版）

編選說明 ●●●

　　大須賀明，1934 年生於日本神奈川縣橫濱市，1958 年畢業於早稻田大學法學部，法學博士，日本著名憲法學家。曾任早稻田大學比較法研究所所長、日本憲法研究會會長等職。主要著作有《憲法論》、《基本人權》、《生存權論》等。

　　《生存權論》是大須賀明的代表作。該書從生存權的歷史淵源、特性、定義、涵蓋的基本權利，到立法和司法中的生存權問題，結合各國的法制建設，聯合國的保障人權活動，特別是二戰後日本和平憲法和有關的立法、司法實踐及違憲審查等活動，進行了透徹的論述。在本選文中，大須賀明對環境權與利益衡量中存在的兩種見解——「環境權論」者的主張和「忍受限度論」者的主張進行了深入闡述，並從憲法角度出發，分析了兩者的不同。他指出，利益衡量論正當與否，應該在加以區別的兩個階段分別進行分析。大須賀明認為這兩種見解各有優劣。另外，大須賀明就利益衡量的基準問題，提出了自己的見解：首先，在環境破壞的第一階段，在堅持健康權優先的條件下，對於環境保護和產業開發之類的利益，可以進行利益衡量。其次，在環境破壞的第二階段，應該鑒於環境破壞的嚴重性，而從生存權基本宗旨的立場出發，確立起環境保護優先的原則。

唐納利

人權的來源

　　我們從哪兒獲得人權？「人」權的實際用語指明了一個來源：人，人性，作為一個人或者人。法律權利以法律作為其來源。契約權利來自於契約。因此，人權顯然以人或者人性作為其來源。

　　不過，人性——如何能夠成為一個人——怎樣產生權利呢？談到法律，我們可以指法規或者習慣。談到契約，存在著立契行為。人怎樣使一個人獲得權利呢？

　　人的需求常常被人們用來定義產生人權的人性：「需求創立了人權。」不幸的是，「人的需求」幾乎是與「人性」一樣含糊不清的觀念。如果我們轉身科學，我們就會發現一系列特別有限的需求。克里斯汀・貝（Christian Bay）可能是最著名的人權的需求理論的宣導者，甚至她也承認，「超越生存和安全來談論任何經驗上既定的需要，是不成熟的」。如果我們轉向別處，「需求」就會獲得一種隱喻的或者道德的意義，而且我們就會以有關人性的哲學爭論為依據。只要哲學理論不冒充為科學，那麼，它就沒有什麼錯誤。事實上，要想理解人權的來源，我們必須轉向哲學；關於需求的偽科學性搪塞將無濟於事。

　　人權的來源是人的道德性，這種道德性與按照科學上可確定的需求定義的「人性」只有鬆散的聯繫。人們並不是為了生活而「需要」

人權，而是為了一種有尊嚴的生活而「需要」人權。正如《世界人權宣言》所指出的：人權產生於「人自身的固有尊嚴」。對於人權的侵犯就是對於人性的否定；這些侵犯未必使人的需要得不到滿足。我們並不是對於健康要求擁有人權，而是對於過一種有尊嚴的生活，過一種稱得上是人的生活，一種沒有人權就不可能享有的生活所「需要」的那些事物擁有人權。

作為人權基礎的人「性」是一個道德假定，一種對於人的可能性的道德考慮。科學家的人性確定了人的可能性的外部限度。作為人權基礎的道德性來自這些可能性的社會選擇。科學家的人性認為，超越這一點我們寸步難行。作為人權基礎的道德性認為，我們不能允許自己墮落於這一點之下。

與其它的社會實踐一樣，人權產生於人的活動；它們並不是上帝、自然或者生活中的有形存在賦予人的。人權代表著一種社會選擇，它所選擇的是有關人的潛能的一種特定道德觀，這種道德觀的基礎是關於有尊嚴的生活的最低限度要求的一種特定的本質性看法。人的潛能極具可變性，而且包含著善和惡在內；潛在的強姦犯和殺人犯與潛在的聖徒至少數量相當。在決定哪一種潛能將得以實現和如何實現方面，社會充當著關鍵角色。人權很大程度上闡明了這種選擇將如何做出。

雖然人權理論家們可能會否定　古斯丁的原罪及其世俗罪惡，但是，他們卻可以承認在人性中存在著大量並不吸引人的因素。事實上，人權的核心目的之一就是找出這樣的因素。因此，人們只是承諾而並不保證實質性的政治進步和道德進步。人權指出了這種進步性發

展的途徑。

　　人權要求特定類型的制度和實際活動，以實現關於人的可能性的基本道德觀——即那些權利的實施和保護。人權是一種旨在通過制度化的基本權利實現有關人的尊嚴和潛能的特定觀念的社會活動。當人權要求使法律活動和政治活動與其要求相吻合時，它們就將塑造按照那種道德觀假定的人。

　　因此，在道德觀和政治現實之間存在著一種建構性相互作用。在個人和社會（尤其是國家）之間也存在著建構性相互作用。這兩種相互作用都是通過人權的實踐形成的。對於國家活動的限制和要求是由人性和以人性為基礎的權利確定的，不過，由人權引導的國家和社會在塑造（或者實現）人性的過程中起著重要作用。

　　因此，正如人性是一個給定物一樣，它也是一個社會課題。正如一個人的「本性」或者特性要通過天賦、個人活動和社會制度的相互作用才會從大量給定的可能性中產生出來一樣，人類（通過社會途徑）才能塑造出自其本身的真正本性。人權闡明了一種達成人的潛能的特定實現的社會活動結構。

　　人權超越了存在的現實狀況，它們很少涉及人在已實現意義上的狀況，而更多涉及的是關於人可能怎樣生活，是一種被視為更深刻的達到現實的可能性。《世界人權宣言》沒有告訴我們大多數國家中的生活狀況，然而，它卻確定了一種有尊嚴的生活，一種稱得上是人的生活的最低條件。它以權利的形式確定了這些要求，這就包含了一切。甚至在富裕和強大的國家中，這些最低限度的標準也並非能夠經常得到實現。然而，這恰恰是擁有人權為何如此重要，而且可能是為

何如此重要的原因：作為權利，它們要求一種能夠實現潛在的人性道德觀的社會變革。

因此，人權學說基本上把擁有人權與是人等同起來了。如果不享用人權的「對象」，一個人幾乎肯定被疏遠或者疏離了其道德性。因此，人權常常被認為是不可剝奪的，這並不是說人們不能否定某人對這些權利的享用，因為每個壓迫性政權都使其人民疏離其人權，而是說如果喪失了這些權利，在道德上是「不可能的」；一個人不可能失去這些權利而過一種稱得上是人的生活。

這就立即招致了一種烏托邦式的理想和實現這種理想的實際活動。人權實際上是說：「把人作為人來對待，你才會成為一個人。」這是其烏托邦的一面。可是，人權也說，「問題在於你怎樣把人作為人來對待」，並且進一步列舉了一系列人權，這些人權確立了一個合法的政府必須在其中活動的框架。

就此而言，人權是一種自我實現的道德預言：「把人當作人對待──你就會成為真正的人。」關於人性的有遠見的道德觀是人權的來源，它為內含於人權要求中的社會變革提供了理由。這些權利的實際運用將使這種道德觀成為現實，因此，使這些權利要求成為不必要。就人權來說，擁有的悖論不過是形成現實與理想、道德觀念與政治實踐之間這種本質性相互作用的另一種方式而已。

因此，人性、人權和政治社會之間的關係是「辯證的」。人權形成了政治社會，進而形成了人，進而實現人性的可能性，這種可能性首先為這些權利提供了基礎。「人性」為人權奠定基礎，它把「自然的」、社會的、歷史的和道德的因素結合到了一起；它由客觀歷史過

程規定，但是並不完全由這一過程決定。

（節選自〔美〕傑克・唐納利著，王浦劬等譯《普遍人權的理論與實踐》，中國社會科學出版社 2001 年版）

編選說明 ● ● ●

　　傑克・唐納利（Jack Donnelly），美國丹佛大學國際研究系教授，著名人權研究學者。主要著作有《世界人權的理論與實務》、《國際人權》、《普遍人權的理論與實踐》等。

　　《普遍人權的理論與實踐》是唐納利的代表作。該書以人權的普遍性、特殊性和相對性的各種不同觀點和看法為主要內容，詳細闡述了人權的概念和特徵、人權與自由主義、東西方的人權概念差異、人權的歷史特殊性和特定性、人權和發展、人權的國際狀況、人權與外交政策等，對於研究和瞭解人權，有很大的參考價值。在本選文中，唐納利提出，人權的來源是人的道德性，這種道德性與按照科學上可確定的需求定義的「人性」沒有必然的聯繫。人們並不是為了生活而需要人權，而是為了過一種有尊嚴的生活而需要人權。人權代表著一種社會選擇，它所選擇的是有關人的潛能的一種特定道德觀，這種道德觀的基礎是關於有尊嚴的生活的最低限度要求的一種特定的本質性看法。人權是一種旨在通過制度化的基本權利實現有關人的尊嚴和潛能的特定觀念的社會活動。

艾倫

● ● ●

剩餘自由與基本自由

　　剩餘自由的思想反映了法治的一項基本原則，即國家對個人自由的任何侵犯從表面上看都是非法的；任何未被明確禁止之事，個人均可為之。除非獲得法定授權，否則政府侵犯個人自由的任何措施和行為都是非法的，且證明法定授權的責任在於政府一方。這是 Entick v. Carrington 一案所說明的法治觀點，它為憲法性權力提供了基礎。此案中，國王的使者不能證明簽發和執行一般搜查、查封令狀是合法的，故應當對非法侵入承擔責任。法官會考慮制定法或普通法是否提供了正當的理由：「如果沒有發現或提供這樣的理由，文本的沉默便是不利於被告的根據……」

　　然而，普通法也熱切期望自由──特別是在自由社會中被承認具有內在價值的自由。它承認言論和集會自由，也承認人身的自由和財產的權利。作為應受司法保護的公共利益，有關表達自由和良心自由重要性的案例在判例法中比比皆是。普通法中的憲法權利是法治的兩方面相互作用的產物。（例如）我的言論自由，首先，是未分化的剩餘權利的結果──對它的限制需要法律授權；其次，是法院忠於言論自由價值的結果。表達自由的原則在解釋普通法和制定法中都具有獨立價值，在對我的自由做假設的限制，確定這種限制的範圍和效力的時候，該原則具有至關重要的意義。

在 Wheeler v. Leicester City Council 一案中，布朗‧威爾金森（Browne－Wilkinson）法官在上訴法院判決的反對意見中承認，即使沒有成文憲法，言論自由和良心自由仍然具有根本性，因此免予未經議會明確授權的干涉。他注意到，現代政治態度的兩極化削弱了原來保護個體和少數人免受歧視的慣例的有效性。但是他並未暗示，隨著慣例的腐蝕，普通法已毫無益處。他在引用先前的權威著作來說明言論自由的根本重要性時，得出結論：「毫無疑問，在沒有明確相反的立法條款時，任何個人有權保留和表達他自己的觀點，這屬於整個國家憲法的一部分。」

儘管上議院選擇使用行政法上更為傳統的語言來表述其言論，拒絕支持上訴法院法官布朗‧威爾金森根據基本權利進行的大膽推論，但法院贊同他的結論。而且坦普爾曼勳爵的評論已接近對言論和良心自由重要性的明確肯定：「一個私人個體或私人組織不能被迫表現出追逐公共機構所追求的目標的熱情，也不能被迫發表公共機構所指示的觀點。」

如果基本自由——當它們遭受危險時——可以被援引作為對制定法進行限制性解釋的正當理由，那麼它們在普通法的發展中也發揮著至關重要的作用。譬如，表達自由的權利不能僅僅是剩餘的，因為在很多語境下，我們能夠恰當地察覺到這種自由作為一種重要價值，在判決中具有獨立的分量。上議院對 Attorney-General v. BBC 一案的判決便是很好的例子。法院否認總檢察長被授權發佈一項禁令以限制 BBC 播放關於「秘密兄弟會」的節目，儘管此案提出了與等級評估法庭的訴訟相關的爭議，在該訴訟中，「秘密兄弟會」試圖免除對其

會議地點的評級。

　　弗雷澤勳爵認為法院必須在表達自由原則與正義的實施不受干涉的原則之間進行權衡。他認為從本質上說，沒有哪個原則比另一原則更加重要，但是在該案的語境下，表達自由原則高於一切。受法律保護、不受藐視的下級法院的種類應當被嚴格限定於那些行使著國家的司法權的真正的法院。如果排除對其它裁判所的保護是不合邏輯的，那麼這種邏輯應該讓位於某種標準的需要：此種標準能夠以合理的確定性加以適用，並能夠避免對言論自由權利過分嚴重的克減。薩蒙勳爵認為廣播提出了至關重要的公共問題。如果其內容是真實的，那麼則提供了一種有價值的公眾服務。如果「秘密兄弟會」以誹謗提起訴訟，而且 BBC 提出了正當理由，那麼不應允許發佈禁令來禁止重播。斯卡曼勳爵認為事先的限制是對言論自由的嚴重干涉，只有在其構成嚴重非正義的實質性危險時才應發佈這樣的限制。

　　在羅奈爾得·德沃金的著作中，可以發現剩餘自由與特定個人自由之間的區別的對應物，他曾強調區分特定自由權利和一般自由權利觀念的重要性。剩餘權利是這樣一種觀念：把對自由的限制具有正當理由的證明責任置於國家──存在一種支持自由的假定──但是那種正當理由的強度必須反映那種限制的性質。德沃金通過否認存在任何普遍的道德上的「自由」權利來表達這一點。他堅持認為，如果某人有權做某事──在該表述任何有用的意義上──那麼政府否認它就必定是錯誤的，即使這樣做是為了一般利益。在權利的這種反功利主義意義上，並不存在一般的自由權利。

　　如果言論自由的權利必須與與之衝突的個人權利進行協調──即

使僅僅作為一個程度問題──這種權衡的過程必然會發生變化。在許多案件中，與之相對的權利可能具有同等的或更為重要的實力。獲得公平審判的權利就提供了一個清楚的例證。很難相信法院會支持不公平審判的運作：如果法院不承擔保護公平聽審的責任，那麼求助於它做出對某人法律權利的判決將是徒勞的或更壞。因此從英國法上講，即使何謂公平所要求必然是一個判斷的問題，依賴於該案的所有具體情勢，但獲得公平審判的權利看來是絕對的。在刑事案件中，為確保對被告的公平審判，法院甚至可能會排除與所指控犯罪相關的和鑒定的證據。而且，易被排除的證據並不局限於其偏見性很可能超過其鑒定價值的材料：在員警調查過程中從被告處不公平獲得的證據也經常可能被拒絕。

這並不表明嚴苛的尚未裁決規則必然具備正當理由。例如在未決民事案件中，職業法官的中立性似乎不太可能會受到新聞輿論的評論的嚴重影響；因此言論自由原則與公平審判原則之間可能並不存在真正的衝突。雖然在刑事案件中，二者發生衝突的可能性更大，陪審團可能因為暴露於媒體的評論之中而產生不利於被告的不公平的偏見，但是為了新聞自由的利益，招致某種危險是合理的。產生偏見的可能性將取決於評論的性質、評論發表與案件審判之間的時間間隔。被告獲得公正審判的權利依然是完整的，如果確有必要，可以通過其它方式受到保護。如果對他的審判確實受到不利宣傳的影響，他的有罪判決就可能因為不可靠或不能令人滿意而通過上訴被撤銷。

因此，在特定案件中對表達自由的限制是否正確，取決於與之衝突、需要保護的權利或利益的實力。我們對言論自由的信奉僅在確

實必要時才允許對言論自由予以限制；但將必要性確定在否則會危及獲得公平審判的權利的地方，這也並非難事。在 Attorney-General v. English 一案中，上議院拒絕因為一篇報刊文章對未決刑事判決所造成的危險不值一提而駁回原告的請求，這一態度很容易地遭到了法律評論者的譴責。《1981 年藐視法庭法》第 2 條第 2 款適用於：某種言論的發表造成了「實質性危險，即相關訴訟中的審判過程受到嚴重妨礙或偏見的影響」。迪普洛克勳爵的觀點──制定法因此只是把那些對即將到來的審判來說無關的偏見危險排除在外──反映了深植於普通法之中、法院對於獲得公平審判權利的承諾。

　　進入法院提出有效主張和保護法律權利的權利，同與之相聯繫的獲得公平審判的權利一樣，很明顯是法治的重要因素。如果不伴隨採取司法強制實施的方式，憲法權利──無論其法學基礎如何──對自由的保護毫無裨益。在 Attorney-General v. Times Newspapers 一案中，上議院支持做出一項禁令，制止《周末時報》發表一篇文章，該文針對的是一件涉及某種鎮靜藥品製造、銷售的過失訴訟，這種藥品已導致了駭人聽聞的致殘後果。迪普洛克勳爵主張，對該訴訟的是非曲直進行公共討論相當於藐視法庭，其很可能阻礙訴訟當事人行使他們的「使其法律權利和義務在法院得到主張和實施的憲法權利」。

　　保護向獨立法院尋求救濟的權利，這一原則與剩餘自由的思想一道，在 Raymond v. Honey 中保護了被判有罪的囚犯的權利。上議院認為，一位阻止將囚犯的申請傳遞給最高法院的監獄長有藐視法庭罪。威爾伯福斯勳爵援引了從剩餘自由觀念中獲得的一般原則，即被判有罪的囚犯，儘管他被援引了從剩餘自由觀念中獲得的一般原則，即被

判有罪的囚犯，儘管他被關押，仍保留其所有未被明確或通過必要暗示予以剝奪的公民權利。因此，長官干預囚犯請求的權利只有通過監獄規則——根據《1952 年監獄法》授權制定——才能被證明具備正當理由；而既然該法通過一般語言僅僅規定了對囚犯的控制和管理，那麼它不能被視為授權「妨礙或干涉如此基本的權利」，諸如不受阻礙的尋求法院救濟的權利。如果該規則聲稱允許這樣的干涉，則必然越權無效。

（節選自〔英〕T.R.S.艾倫著，成協中、江菁譯《法律、自由與正義——英國憲政的法律基礎》，法律出版社 2006 年版）

編選說明 ●●●

　　T.R.S.艾倫（T.R.S.Allan），劍橋大學彭布羅克學院公法中心教授，英國著名法學家。主要研究方向為公法和法理學。作為當代自由憲政理論的代表人物，其始終致力於打破法律實證主義對英國憲法所施加的束縛，強調普通法對議會主權的限制。主要著作有《議會主權的限制》、《憲法權利與普通法》等。

　　《法律、自由與正義——英國憲政的法律基礎》是艾倫的代表作，其中蘊涵的政治思想與憲法理論曾經在理論界引起不小的轟動。該書出版後不久，便成為美國政治學者和憲法學者，乃至法理學學者的必讀書目之一。在本選文中，艾倫提出，剩餘自由的思想反映了法治的一項基本原則，即國家對個人自由的任何侵犯從表面上看都是非

法的；任何未被明確禁止之事，個人均可為之。除非獲得法定授權，否則政府侵犯個人自由的任何措施和行為都是非法的，且證明法定授權的責任在政府一方。艾倫認為，剩餘自由是這樣一種觀念，即把對自由的限制具有正當理由的證明責任置於國家。例如，表達自由的權利不能僅僅是剩餘的，因為在很多語境下，我們能夠恰當地察覺到這種自由作為一種重要價值，在判決中具有獨立的分量。因此，在特定案件中對表達自由的限制是否正確，取決於與之衝突、需要保護的權利或利益的實力。

弗萊納

學校和教育中的人權

西奧是一位驕傲的一年級學生，他崇拜他的老師，這位老師教給了他一些他以前從父母那裏沒有聽說過的東西。由此，在家裏他的行為突然變得古怪起來。他洗澡更加頻繁，不再把手伸給任何人，害怕各種他從未聽說過的傳染病，不再同他的小同學們說話，痛　那些飯後不洗手的小孩，並且要求他的父母舉止同他一樣。晚上，他噩夢不斷，醒來一身冷汗，夢見有壞人不斷地迫害他。他的父母發現，那位老師是某極端宗教教派的積極分子，該教派因其立場偏激而成為一個引起爭議的團體，而該老師給自己確定的目標就是爭取孩子來皈依該教派的理想。

在這種情況下，父母能做些什麼呢？他們自然要求助於他們的人權，亦即按照他們自己的價值觀撫養他們的孩子的權利。他們援引的是父母的權利和子女的權利。如果讓孩子受到壓制，以至於使其感到他們生活在一個受到惡人威脅的世界之中，那麼，他們的基本發展機會就受到了侵犯。因此，該父母將力圖說服教育當局，他們所享有的父母權賦予他們給小西奧轉校的人權。

教育當局的回答將會是：如果允許國家在組織和管理學校中享有一定自由的話，那麼它也能完成它的教育任務，並保障人們有接受學校教育的權利。父母們不得不承認，孩子在學校裏可能會接觸到不同

於他們在家裏所接受的那種價值觀。在一個多元化的社會裏，父母對於健全的教育各有不同的看法。正因為如此，學校再也不可能以同樣的方式傳授適合所有父母的世界觀。每一個人都有權讓自己的孩子在私立學校接受教育。然而，接受私立教育的權利並不實際和現實，因為沒有多少人能夠供得起自費的學校教育。

或許教育當局也認為這位教師超越了她的本職範圍。因此，他們將不得不考慮是否應當辭掉這位教師。如果要解雇，你得注意，教師將會援引她享有的人權，即結社自由權和人身自由權。

現在應當由誰來解決這個衝突：法院還是教育部？如果由教育部決定，那麼，西奧的父母和這位老師將會因為這項決定而宣稱自己受到歧視。如果父母敗訴，那麼，在他們看來教育部顯然是不顧批評，祖護其教師。如果教師敗訴，那麼，她就會指責教育部屈服於政治壓力。在選舉年，政治家屈從於市民的壓力，是可以理解的。

只有司法判決能夠贏得一定的信賴，這正是因為法官不在乎判決的結果，或者說，法官無需考慮，如果他們的判決對父母有利或對老師有利，其後果究竟會怎樣。然而，行政機關卻經常對法官的強大權力提出挑戰，他們反對說，法院的決定拖的時間太長，他們還指責法院判決太官僚，認為讓法院解決問題是對法院要求太多。當法院不得不對法官們所不熟悉的教育問題進行審查時，它一定會做出一些天真的決定。

儘管有這樣一些指責，但是確實也沒有比選擇較少的惡更好的解決辦法了，也就是說，在這種情況下，至少要讓法院做出最後的決定。如果父母的這樣一些人權和那位教師的人權都應當認真看待，那

麼，在此情形之下，司法獨立權決定了它必須享有作出判決的權力。這是因為，只有獨立的法院能夠可以信賴地執行人權並把它們應用於各種實際的衝突。

不過，仍然沒有回答的問題是，當不同的人權如父母的人權與這位教師的人權彼此發生衝突時，法院應當遵守哪些原則。當一方面父母援引其做父母的權利，另一方面教育當局援引它們單獨承擔兒童教育責任的權力時，法院怎樣把握自己的方向？

在許多國際公約和憲法中，逐步形成了一定的原則，使法院能夠解決這樣的衝突。起初，憲法權利和人權可能只受某個政治立法者的限制。這樣，一個決定性的權威將是有關教育的立法，其中包括學校課程的基礎、選拔和解雇教師的規章以及公務員紀律守則。即使這些成文規則本身限制人權的程度，也不得超過壓倒多數的公共利益的要求。

例如，一項要求女孩帶著面紗上學的法律裁決，將是對宗教和良心自由的無可爭辯的侵犯。但強迫學生在星期六上學是否違反了人權呢？這是對猶太少數民族安息日教規的冒犯。在瑞士有許多州，立法機關仍然強制要求學校周六上課。立法機關可以用不同的理由支持這一要求。例如，這樣可以使一周的課程得到最合適的安排，每個周有好幾個半天不上學，等等。

現在，法院必須自問，立法機關提出的合理理由，對於猶太少數民族這種特殊情況來說，即使不管宗教自由和良心自由的權利，是否仍足以證明強制要求星期六上學是正當的。

這裏，法院一般會遵循比例原則。如果這種冒犯是合乎比例的，

猶太子女就必須服從大多數；如果與比例不相稱，那就要為他們開一個先例。

有關教派衝突的判決也須以同樣的方式作出。如果孩子能夠比較順利地轉校，那麼我們就會尋找一個實用主義的解決衝突的辦法。也有可能發生這種情況：那位教師準備使自己限於純粹的教學任務，不違犯父母視之為他們按照自己的價值來教育其子女的任務的東西。

這一切都證明，人權對個人是多麼重要。即使不經常提到人權，但是在那種作為社會軌道兩邊的規制我們的立法機構、行政機關和司法機構的柵欄的背景中，人權仍然經常是那麼清晰可見。

（節選自〔瑞士〕湯瑪斯・弗萊納著，謝鵬程譯《人權是什麼》，中國社會科學出版社 2000 年版）

編選說明 ●●●

湯瑪斯・弗萊納（Thomas Fleiner），瑞士弗裏堡大學法學院教授、著名公法學家。曾任瑞士弗裏堡聯邦制度研究所所長。主要著作有《司法機關的獨立性》、《瑞士的聯邦制》、《人權是什麼》等。

《人權是什麼》是弗萊納的代表作之一。該書主要圍繞人權的發展、人權的內容以及人權的保護等三個問題展開論述。在本選文中，弗萊納指出，當父母認為自己的孩子在學校教育中的人權遭受侵害時，他們有權基於其監護人的角色向教育當局提出孩子轉校的權利；教育當局則提出，孩子在學校裏接觸到的價值觀很可能不同於其家庭

中接受的那種價值觀，因而，在一個多元社會中，父母對於健全的教育各有不同的看法是一件很自然的事情。這就必然會引發父母人權與教師人權之間的衝突。弗萊納認為，這種衝突不能由教師的主管部門即教育部來解決，而應當由中立的裁判機構法院來裁定，法院能夠信賴地執行人權。假如孩子能順利地轉校，那麼父母人權與教師人權之間的緊張關係就能順利解除。假如教師能主動停止侵權行為，轉而使自己限於純粹的教學任務，他們之間的矛盾也會迎刃而解。

拉茲

●　●　●

抵抗權？Ⅱ．良心抵抗

　　和平抵抗是一種政治行動，行為人的目的是要改變公共政策。良心抵抗是一種私人行動，被用來保護行為人免受公共權威的干涉。這兩種行動之間存在交叉，但是對它們的證明必定採用不同的途徑；個人在集體決議的制定中以參與權之名義進入公共領域，這不同於個人主張在屬於自己的事項上免於公共干預。良心抵抗權的事件看起來更有力。對自由主義性質的思考可能表明，上文給出的自由國家的狹義定義應當被擴展，以便包括良心抵抗的一般性法律權利的制度，也就是說，某一國家是自由國家——僅當它的法律規定：如果某人實施了違法行為將不承擔違反義務的責任，因為他認為服從在道德上完全或部分邪惡或錯誤的法律，對他來說，在道德上是錯誤的。儘管這一觀點非常強烈，但是對它的反對也很強烈，並且我發現自己不能支持以普遍政治原則為基礎的一般性觀點。接下來的討論是非結論性的。它以一般性方式探究了各種支持和反對這一權利的思考，以及各種可供選擇的解決辦法。

一、良心和尊重人

　　在現代社會中，對良心抵抗的探討常與服兵役聯繫在一起。良心抵抗權之所以很難擴大到其它法律領域，具有實踐性原因，但是無論

承認它與服兵役聯繫在一起的原則或道德理由是什麼，這些原則和理由同樣可以適用於其它法律領域。即使服兵役的義務是惟一要求個人進行殺戮或參與殺戮的義務，即使這一義務比其它法律義務要求犧牲更多的個人目標和意願，這些事實也不能使良心抵抗僅適用於服兵役。看上去，良心抵抗並不以下述意願為基礎：保護個人以使他免予法律的深遠影響。良心抵抗是道德抵抗，而不是以個人名義的抵抗，這些利益產生於對個人基本生活方式以及對未來的基本謀劃的保護。這些事實也並不意味著殺戮是重大的道德問題。它本身並沒有質疑要求人進行殺戮的理由。這一觀點並不是說，服兵役在道德上是正當的。這一觀點是說，如果人們堅持服兵役基本上是正當的，那麼一旦人們相信在特定的情況下它是必須的，這一要求的重要性本身並不能導致任何良心抵抗權的產生。將這一權利建立於道德原則之上的惟一途徑就是承認：由於某人錯誤地認為服兵役對他而言在道德上是禁止的，他應當被允許不服兵役。

在此，主要的困難在於如何證明良心抵抗的正當性。它涉及證明一個人有權不去做屬於他道德義務範圍的事情，這僅是因為他錯誤地認為這樣做對他來說是錯的。當然，還存在用來證明良心抵抗在某些情況中具有正當性的其它各種主張。舉例來說，我們可能認為強迫和平主義者服兵役將會適得其反，因為他們將使軍隊惡化並在部隊內散佈敵對意見。在極權主義和與其相似的國家中，良心抵抗權有時被視為一種妥協。解決那些國家的道德邪惡的真正方法，可能僅與推翻政府和撤銷法律相關。讓感到壓迫的人部分的相信良心抵抗權可能存在，這或許是不可能的。通常，這一主張以及與此類似的主張是有效

的和有價值的。但是，本文的目標是檢討一般性良心抵抗權的主要道德論證──即使良好的國家也承認的一種權利。因此，這一論證應當在以下假定上繼續進行：法律在道德上是有效的，人們應當（在道德上）服從他。假定良心抵抗者提議實施違法行為，他是否應當擁有違法的權利，因為他虔誠地堅持錯誤的道德觀點？如果承認這種權利的理由存在，可能也適用於除服兵役以外的其它情況。不久以前，有宗教信仰的父母反對他們的女兒穿著裙子上學。最後他們選擇了移民而不是屈服，這反映出他們擁有如此堅定的信念。但是，他們並不是和平主義者，不會反對服兵役這樣的事情。如果由於人們的信念而存在違法的權利，它應當也適用於該父母。確切地說，良心抵抗的核心就是這一事實。

二、良心和法律的目的

　　上文對這些思考的表面特徵的詳細闡述，看上去充分證明了（至少部分地）如下限制:根據法律，人們有權反對良心強制。在先前的論文中已經指出，並不是所有的違法情況──行為人將違法視為一種道德義務──都是良心抵抗的情況。僅當法律本身錯誤（至少在部分上）的時候，才屬於這種情況，但是,如果將違反法律的義務歸因於情勢的罕見相遇或在修訂法律時不可預見的其它任何條件，則不屬於這種情況。這也許只不過是一種任意的區分，或者這種區分只能通過以下條件才能得到證明；將抵抗權擴展於此種情況具有執法難度。但是，這種排除有可能被證明是正當的，因為行為人經常避免這些情況的發生。在法律和人們意識到的道德義務之間製造衝突，通常以人們

的控制力為條件，如果人們願意堅持對道德原則的忠誠，那麼他們可以阻止它們的發生，即使需要付出代價。由此，尤其是鑒於如下主張的表面性質：法律不能強制人們的良心，如果社會認為個人信仰是錯誤的，那麼它有權要求個人承擔自己的信仰重負，而不是要求社會本身這樣做。

　　法律和良心之間的這種偶然衝突的重要類型之一是：當人們的道德原則要求採取政治行動時，要麼是通過暴力革命、要麼是通過和平抵抗或蔑視法律。在此，鑒於這些行動潛在的重大後果，它們應當由先前論文解釋的原則加以控制，這些原則是：在自由國家中，不能接納良心迷失的人所提出的要求。在這些情況，通常有太多處於利害攸關之中。

　　這些違反義務的法律後果可能傾向於賠償損失，它們可能涉及通過禁令或具體行為來執行該責任，它們可能涉及刑罰措施。如上所述，我們可以期望良心抵抗者能夠容忍因堅持自己的原則而產生的代價，由此，富有人文主義精神的國家免除公民的正常義務是沒有理由的。對違法者來說，即使刑罰和執行措施也是正當的。在富有人文主義精神的社會中，法律尊重多元主義，並且僅當涉及他人的要害利益時，法律才會限制個人的行動自由。此時，他人不應當償付良心抵抗者的代價。因為，他們的代價就是犧牲自己的某些利益。進一步而言，在富有人文主義精神的社會中，直接的執行和刑罰措施僅在以下情況得以規定：（1）損害沒有充分得到賠償；（2）問題嚴重地影響受害者的要害利益，由此證明進一步干涉違法者的自由是正當的。當這些條件得到滿足時，抵抗權通常可以被推翻。

　　我並沒有單就那些在良心根據上尤其可能遭到批駁的事例橫加指責。我的目的僅是指出這些法律所承認的靈活性，這使它們尤為適合於以良心抵抗權為基礎的例外。因此，毋庸驚異，保護公共利益的法律傳統上是主張良心抵抗權的人所關注的主要焦點。然而，我們應當記住的是，像在其它地方一樣，在此我們關心的是自治權與其它利益之間的權衡。這樣，在特殊社會的特殊時期中，如果過多的人主張抵抗權，那麼他們可能會擊敗法律所保護的利益，這是無可辯駁的事實。

三、良心自由和抵抗權

　　法律執行不應當針對良心抵抗者，即使在其它情況下這樣做是對的。對這種權衡問題並沒有準確的結論。我們所能說的僅是此類法律通常以權利為條件，而其它種類的法律則不然。然而，有必要以同樣普遍性和嘗試性的方法來討論另一個問題：承認一項不違背人們良心的權利應當採取何種法律形式？

　　一個簡單而激進的解決辦法是，引入一種特殊且同意的授予良心抵抗權的法律理論，它可被援引以用於免除違反任何法律的責任。我們假定：根據法律，抵抗者的責任就是申請由有資格的司法權威所頒發的豁免證明書，而根據其它法律則面臨著一種選擇：事先申請豁免，還是當良心抵抗被起訴違法時提出辯護。由此，當談論良心抵抗權時，我們始終不能忘記這種理論──它是承認人們有權不受法律的良心強制或享有良心自由權利的一種途徑，現在我將這一方面稱為「尊重個人自治」。但是，這是惟一的途徑嗎？是好的途徑嗎？

良心抵抗權有三種不可避免的缺點：

首先，這一權利容易被濫用。對這一權利的授予取決於個人的道德信仰。這些問題很難由獨立的證據來證明。個人援引這一權利的語言無疑是惟一的直接證據。隨時隨地存在濫用的可能。

其次，這一權利的存在將會鼓勵自我懷疑、自我欺騙以及總體不利的反省形式。個人的動機的確切性質就算是行為人本人也不十分確定，尤其在行為處於複雜動機的數不清的情況中。幾乎所有個人的重要決定都是如此。在對個人生活具有某些重要影響的情況中，通過將法律適用於「行為來源於個人動機」的案件，抵抗權將會鼓勵自我懷疑、自我欺騙以及病態反省。

最後，除非這一權利是在抵抗者公開宣佈的基礎上加以使用，否則涉及制裁的良心抵抗權制度將會對個人隱私造成公開侵犯。員警和其它偵查機關將會擁有實施間諜活動的恰當權力，而個人不得不在政府官員面前（並且可能公開地）為他的道德生活做出解釋。對這種抵抗的不充分的解答是：既然沒有強迫任何人申請豁免，那麼個人揭發是自我強加的。這一權利的恰當存在構成了對個人申請豁免的一種鼓勵，並且在任何情況中，如果良心自由的保障僅通過在個人自治、自尊的其它方面達成妥協，那麼它本身就意味著妥協。

基於這些理由，我們寧願以擺脫這些抵抗的其它方式來保護良心自由。應當盡可能少的行使良心抵抗權，並且只有在沒有更好的方式能夠保護良心自由的時候，才能行使它。

保護良心自由的主要策略是並且應是，在任何情況下都應當避免制定那些規定人們有可能擁有良心抵抗的法律。沒有根據國家宗教而

施加公眾敬神義務的國家將不必解決對這種義務的抵抗。保障良心自由和國家多元性，一方面是在眾人皆知受敏感道德信仰約束的地方，命令列為的自我限制;另一方面是擁有不同道德觀和宗教信仰的人所要求的便利和服務條款（不同宗教的成員在教育、婚姻等方面充分選擇的可能）。所有這些當然是常見的智慧。我所論證的觀點是，抵抗權應當盡可能地被避免，以支持不受抵抗權道德觀影響的特定人所享有的一般性法律豁免。

（節選自〔英〕約瑟夫·拉茲著，朱峰譯《法律的權威》，法律出版
社 2005 年版）

編選說明 ● ● ●

　　約瑟夫·拉茲（Joseph Raz），牛津大學法哲學教授，巴靈奧爾學院研究員，哥倫比亞大學法學院法理學訪問教授。拉茲主要從事法律、道德和政治哲學教學與研究工作，是當代道德、法律與政治領域最傑出的學者之一。主要著作有《法律體系的概念───一種法律體系理論的介紹》、《法律、道德和社會》、《實踐理性》等。

　　拉茲的《法律的權威》是一本關於法律與道德的論文集，該書集中探討了四個主題：權威以及法律權威的性質、法律體系的性質、法律的內在價值、法律的外在價值。拉茲的著作以其主旨的多樣性、洞察力的豐富以及分析上的細微精練而著稱。在本選文中，拉茲主張，和平抵抗是一種政治行動，行為人的目的旨在改變公共政策，而良心

抵抗是一種私人行動，行為人的目的意在保護自己免受公共權威的干涉。因此，即使和平抵抗有時是正當的，在自由國家裏也不存在和平抵抗的權利，但在某些地方卻存在良心抵抗的權利。拉茲認為，良心抵抗是一種道德抵抗而非以個人名義的抵抗。根據法律，人們有權反對良心強制。當然，並非所有的違法情形都屬於良心抵抗的情形，只有當法律本身是錯誤的時候，方可行使良心抵抗權。拉茲不僅指出了行使良心抵抗權所帶來的負面影響，且同時提出，在特殊社會的特殊時期中，若是過多的人主張良心抵抗權，那麼他們會擊敗法律所保障的利益，因而應盡可能少的行使良心抵抗權，且僅在沒有更好的方式能夠保護良心自由的時候，才能行使它。

波爾

婦女的權利：婦女的利益？

　　當人們發現自己的利益受到了某種政府政策或私人侵害的威脅的時候，他們會使用權利的語言來表達他們的不滿。這種不滿的表達在美國所遭遇的抵抗很可能小於任何國家。權利和利益時常看起來可以互換，至少對於發生爭執的對抗者們來說是這樣。律師行業因此總是會得到豐厚的報酬。美國有組織的婦女運動的發起者們對這個問題沒有懷疑。婦女們的利益遠遠超出了正式的權利，而它們的完全的含義還有待探討。然而在政治上，要維護婦女們的利益只能通過賦予婦女們男人們所享有的一切公民權利。尤其當婦女運動接近實現其原始目標的時候，它所暴露出來的關鍵性矛盾是激進女權主義者們以前所沒有觀察到的分叉（dichotomy）：那種真正的有效的權利平等，如果轉變成為在經濟的和社會的關係中的相應改革，實際上可能威脅到一大批婦女們的利益。然而這個問題會在未來出現，在那裏等待著婦女們的縱隊的先頭部隊的到達。在 19 世紀中期的政治世界中，選舉權幾乎被不加限制地給予了白人男子。婦女們無疑會認為在一個民主社會，首要和最為重要的權利是選舉權。

　　這種政治意識的很大一部分產生於反對奴隸制的運動。而在內戰期間，婦女選舉權運動的領袖們同意讓她們的事業服從於解放奴隸的事業。伊莉莎白・卡迪・斯坦頓和蘇珊・B.安東尼組建的全國忠於聯

邦婦女聯盟徵集了 40 萬個簽名支持聯邦憲法第十三條修正案，這個修正案廢除了美國的奴隸制。然而，婦女們不久發現，她們自己對政治承認的要求受到了冷嘲熱諷。在重建時代有關公民權利和黑人選舉權的辯論中，反對給予黑人公民權和選舉權的人利用婦女對選舉權的要求為藉口，似乎這能夠作為不給予黑人選舉權的證據。他們的觀點的實質一目了然：選舉權不是一種權利；它是社會授予具備必要的條件的某些類型的人的一種特權。

激進共和黨人以及前廢奴主義者集中關注保障黑人的公民和政治權利，不可彌補地破壞了他們與婦女運動的聯盟。1866 年 5 月在紐約市召開的「婦女權利大會」決定建立美國平等權利協會，目標是爭取黑人和婦女的平等權利。然而不久，斯坦頓和安東尼開始譴責聯邦憲法第十五條修正案將婦女們排斥在外。她們實際上開始尋求民主黨的支持，而民主黨實際上並不比激進共和黨人更為同情婦女。在《民權法》通過的那一年，聯邦最高法院重申了有關婦女的憲政權利的一般性男性觀點，裁定說聯邦憲法第十四條修正案並未給予她們選舉權。

1876 年，在《獨立宣言》發佈一百週年紀念日，是一個舉國歡慶的日子。這為婦女領袖們提供了另外一次引起公眾關注的機會。她們利用時機發表了《權利宣言》。在這個宣言中她們宣佈她們堅信自我管理以及「我們與男人在自然的權利方面是完全平等的」。所謂的獨立實際上是女人獨立於男人，獨立於男人們所創造的道德準則和各種規定充斥的世界。她們宣佈：「婦女首先是為她自己的幸福創造的，因而她對自身擁有絕對的權利，也擁有絕對的權利享有生活為了

她的充分發展提供給她的所有機會和有利條件。」她們否定了女人是
為男人創造的教條。

　　婦女選舉權運動並不是建立在對經濟制度以及支持它的階級關係
的革命性批評的基礎之上的。在一定意義上說，《革命》這個標題所
提出的要求超出了她們所應該得到的。當斯坦頓表達養尊處優的白人
盎格魯─撒克遜婦女們對被剝奪了選舉權的怨恨的時候，一種種族敵
意的傾向進入了她的語言風格。因為新近解放的黑人奴隸以及蜂擁而
至的沒有文化的移民都被賦予了選舉權。他們中的許多人在投票的時
候甚至都不會閱讀或說英文。在重建時期的婦女的代言人，面對突然
給予剛剛解放的黑人奴隸選舉權，使用利用白人婦女對黑人的恐懼的
語言不足為怪。這種社會的和族裔的仇恨非常普遍，並隨著移民的進
一步大批湧入而變得更為廣泛。1906 年弗洛倫斯・凱利在一個選舉
權大會發表演講時指出，她「很少聽到有關選舉權的響亮的演說不提
到作為我們的主人的『無知和墮落的男人』或『無知的移民』。人們
在談到這些事情的時候或多或少帶著習慣性的仇恨。」 1902 年年老
體衰的伊莉莎白・斯坦頓表示願意接受對選舉權本身的普遍限制，支
持剝奪無知的男性和女性的選舉權，只要允許受過適當教育的婦女們
參加選舉。這種立場與布克・華盛頓主張給予達到教育或財產資格限
制的黑人和同樣符合條件的白人「公正的選舉權」極為類似。在兩種
情況下，那些沒有足夠的條件的都將被剝奪參與政治過程的權利。

　　當那些訴諸平等是不可分割的觀點的保守派們有機會看到權利平
等的原則的分崩離析，取而代之的是在社會上有選擇地分配特權的時
候，一定會感到應該報以幸災樂禍的微笑。保護西部州免受新移民的

影響的需要很可能有助於推進婦女選舉權運動。在進步主義運動時期婦女選舉權運動在西部州取得了最大的進展。老一代的婦女領袖們只是在局部地瞥見了「應許之地」之後退出了舞臺，而卡麗·查普曼·凱特和更為激進的婦女領袖們為全美婦女選舉權協會注入了新的生機。在希歐多爾·羅斯福以及他在1912年大選中所代表的進步黨的支持下，婦女選舉權問題躋身全國政治。1915—1916年，伍德羅·威爾遜也轉而支持婦女選舉權。

實際上婦女們贏得選舉權是婦女領袖們決定爭取通過一項聯邦憲法修正案，而不是等待逐州的系列改革之後實現的。不久，愛麗絲·保羅建立了儘管小但目標集中有力的國會聯盟（後改稱全國婦女黨），集中一切注意力於爭取通過一項聯邦憲法修正案這個核心目標。正是作為美國參加第一次世界大戰的直接結果，婦女們得以為她們自己的爭取選舉權運動做出了最大的貢獻。正如在內戰時期一樣，在男人們參軍之後，婦女們來到工廠和農場幹起了以前屬於男人們的活。她們是必不可少的觀點與感激她們對戰爭進行的貢獻結合在一起。現在已經沒有像黑人選舉權這樣需要優先解決的問題擋道。正如在英國（議會通過了一項法案確立了婦女的選舉權）一樣，婦女選舉權是第一次世界大戰的一個後果。不管威爾遜在談到使世界成為「民主安全發展的地方」時腦子裏是否想到了這個問題，他對這個結果無可置疑。

隨後發生的事情表明，給婦女選舉權沒什麼可怕的。美國剛剛獲得政治權利的婦女們並未表現出要打亂社會制度的意向。相反，她們在男人們主宰的社會習慣和經濟利益所劃定的界限內安分守己。令那

些曾經希望政治平等將導致機會的平等的人驚訝和沮喪的是，婦女們在試圖進入工廠和職業性工作等男人們佔據的位置方面表現得毫無銳氣，也非常有限。舊的選舉權運動的領袖們認為她們沒有責任鼓勵如一盤散沙的大批追隨者佔領企業和教育領域的堡壘。她們中間也許最為顯赫的卡麗‧凱特一心撲到了和平運動中去。當 1928 年美國簽署了《凱洛洛─白裏安條約》（簽署國宣佈放棄把戰爭作為推行國際政策的工具）時，她也許曾想到她的努力得到了報償。婦女們也未能在擁有選舉權的基礎上增進自己在教育、經濟和政治方面的力量，這與早些時候黑人未能在他們自己的解放和獲得選舉權的基礎上獲得同樣的利益具有奇怪的可比性。權力的社會學證明太深奧、微妙和複雜，不能單純取決於選票這種簡單的政治手段。單單有政治平等似乎還不夠。這個發現也許是對政治學的一個重大貢獻。也許現在發現這一點還為時未晚。

（節選自〔英〕J.R.波爾著，張聚國譯《美國平等的歷程》，商務印書館 2007 年版）

編選說明 ● ● ●

　　J.R.波爾（J.R.Pole），牛津大學教授，主要從事美國歷史和制度研究，現為英國學術院院士。主要著作有《英國政治代表權與美利堅共和國的起源》、《通向美國歷史之路》、《美國平等的歷程》等。

　　《美國平等的歷程》是英國牛津大學波爾教授的代表作。在美國

歷史上的幾個重要時期，具有多種含義的平等一直是公眾辯論中舉足輕重的主題。在該書中，波爾運用歷史與分析的方法將「政治平等」、「法律面前的平等」、「宗教平等」、「機會平等」、「性別平等」、「受尊重的平等」這六種平等的類型加以區分與探討；波爾教授對美國歷史上的平等這一主題的研究超過了以往任何歷史學家。沒有人能夠充滿信心地預見平等的未來進程，但是任何人都可以把這部專著作為理解其歷史的最佳途徑。在本選文中，波爾提出，在一個民主的社會中，婦女們首要的權利就是選舉權。只有當婦女們贏得了選舉權並通過正常的政治程序影響事情時，才能解決婦女在社會中的廣泛問題。然而，僅僅賦予婦女們選舉權還遠遠不夠，因為，婦女們在她們擁有了選舉權之後，其在教育、經濟和政治方面的力量並未得到加強。

蕭公權

說言論自由

　　言論自由，世人論之審矣。其基本意義乃人類之所共喻。西人說之最詳，而吾中土發明尤早。惟中西之觀點不同，故立說亦遂互異。西人說言論自由多注意於個人之表現。古希臘哲人蘇格拉底即認為個人之良心為真理無上之權威。雖國法君令不能壓倒良心，使之屈伏而發為違心之論。蘇氏之此說實為歐洲言論自由最早之呼聲，亦即西方後此言論自由之基本信條。英詩人米爾吞（即彌爾頓──編者注）於一六四四年刊佈《自由演講詞》一書。其中有謂：檢查出版物之結果「使吾人因不能運用已有之知識而能力鈍折，且使將來有關政治宗教之智慧亦遭摧殘，不能再有新創。兩路受攻，遂令一切學術短氣，一切真理停滯。」故言論自由乃個人最迫切之要求。「在一切自由之上，請先給我自由以思，自由以說，自由以辯，純按良心而不受任何束縛」。約翰・穆勒於一八五九年著《自由論》一書亦謂壓制言論者其本人之意見未必永遠無誤。如以錯誤之意見壓制錯誤之言論，則此言論所含之真理必遭剝奪。如以正確之意見壓制錯誤之言論，則其事雖似合理，而究不如任真理自力戰勝邪說為更有益。蓋自由辯論以外，絕無任何權威足以保障人類意見之正確也。凡此諸說大體皆就個人之觀點立論，其意在反抗國家之權威而不在保障國家之利益。

　　中國民主政治之實行雖晚，而輿論早則已為先民所重視。例如

厲王監謗，邵公非之曰：「防民之口，甚於防川。川壅而潰，傷人必多。民亦如之，是故為川者決之使導，為民者宣之使言。」又如鄭人游於鄉校以議執政，子產不肯聽然明之言毀鄉校而為之說曰：「夫人朝夕退而遊焉，以議執政之善否。其所病況者，吾則行之。其所惡者，吾則改之。是吾師也。」又如孟子論政，謂國君進退百官，必「國人皆曰賢」，然後察而用之，「國人皆曰不可」，然後察而去之。國君判決罪刑，必「國人皆曰可殺，然後殺之」。凡此諸人皆就國家之觀點立言，與歐洲思想家所陳述顯異其趣。

　　中西兩說之長短，不在其最後之結論而在其立論之據點。蓋就結論言，二說實殊途同歸，並主言論自由之大義。就觀點及論據言，則偏重個人者理有所未通，偏重團體者較平正而寡過。吾人欲明個人自由之困難，當先知個人言論之實際。人之言論，基於意見。人之意見，源於其所受家庭社會之習染與學校師友之薰陶。個人自身之創造，並不甚多。眾人彼此間意見之分殊亦不如尋常所想像者之大。今我發為一言，自矜為獨到自由之創見。倘試平心察之，則知我所以為此言者，實緣我平日所取之習染薰陶即已如此，於是我之所言遂不得不如此。我之言論，不啻社會假口於我，為之代發。既非我所獨創，亦非全出自由。言與不言之權雖操於我，而所言之內容則不知不覺間有所受之。然則就事實言，世固無純然出於個人之思想言論。此不徒於常人為然，即震爍古今之大思想家亦不能脫離歷史之傳統及社會之環境而憑空創造。妄矜自我作古者恒不免數典忘祖。夫言論思想之內容既由社會賦之個人，則個人表現之權利自當由社會操其予奪。不當禁而禁，不當發而發，其最大之利害悉由社會受之，而個人得失之關

係，轉較微小。吾先民由歷史之經驗深知國家處分言論之政策，失於過嚴之弊遠大於失之過寬，於是發明言論自由之大義。「為民者宣之使言」，此真中國政術中至精至當之要旨也。當歐洲近世初期，人民受宗教與政治之壓迫，忍無可忍，乃發為民權自由之呼聲，其伸個人而抑國家，誠為勢所必至，亦為理所當然。惟此皆適應時世，有為言之，自不能全合中道。乃至民權憲政大昌之今日，國家與個人間不復成對立局勢。個人無待於伸，國家亦不容抑。吾人除就國家觀點以立說外，言論自由更無妥善之根據。

　　此理既明，吾人即可知言論自由範圍之大小，國家有斟酌時宜而為決定之全權。在非常狀態中自由之範圍可以縮小，在經常狀態中自由之範圍當然擴大。現代民主國家，無不準此原則而行之者。若就目前之中國言，則在抗戰期中言論自由可取相當之限制，在憲政期中言論自由必須取充分之保障。蓋非言論自由無以憲政，非行憲政無以得言論自由。此理至顯，毫無可疑。吾人惟當謹記自由之根據不在個人而在社會，則可恍然於言論為國家應盡之義務而非所享之權利，庶幾能得自由之真諦而不陷於歐洲十八世紀個人主義之誤解矣。

　　（節選自蕭公權著：《憲政與民主》，清華大學出版社 2005 年版）

編選說明 ●●●

　　蕭公權（1897—1981），江西泰和人。1918 年考入清華學校高等科三年級，畢業後赴美留學，1926 年獲哲學博士學位後返國，任教

於南開大學等校。1949 年轉任西雅圖華盛頓大學教職。曾當選民國時期第一屆中央研究院院士。主要著作有《政治多元論》、《中國鄉村》等。

　　《憲政與民主》所收集的是蕭公權先生運用其廣博的政治學知識對 20 世紀三、四十年代中國憲政問題的評論，是其政治學理論的實踐運用。書中所錄文章起自 1936 年的《均權與均勢》，終至 1947 年的《論選舉》，共 22 篇，內容圍繞憲政建設，涉及中央與地方均權、言論自由、民主、國體、選舉等方面，並對「憲草」和「憲法」的內容進行了分析和評價。在本選文中，蕭公權認為，中國的言論自由要求源於歷史經驗的總結——言論自由符合統治者的利益和利大於弊的衡量，而歐洲言論自由源於近代反宗教壓迫、反政治壓迫的思潮。歐洲言論自由個人主義的色彩既是當時社會形勢發展的必然結果，也為理所當然。蕭公權認為，既然言論思想的內容是由社會賦予個人的，那麼個人表現的權利理應由社會來定奪。雖然在非常狀態中如抗戰時期言論自由之範圍可以縮小，但在憲政期中言論自由的範圍則應當擴大。因為沒有言論自由就沒有憲政，不推行憲政就沒有言論自由。蕭公權從自由之根據不在個人而在社會的觀點出發，最後得出保障言論自由是國家應盡的義務而非國家所享有的權利之結論。

擴展閱讀 ● ● ●

1. 〔美〕羅奈爾得‧德沃金著，信春鷹、吳玉章譯《認真對待權利》，三聯書店 2008 年版。

2. 〔美〕科斯塔斯‧杜茲納著，郭春發譯《人權的終結》江蘇人民出版社 2002 年版。

3. 〔美〕斯特勞斯著，彭剛譯《自然權利與歷史》三聯書店 2003 年版。

4. 〔美〕安東尼‧路易士著，蘇希亞譯《不得立法侵犯：蘇利文案與言論自由》，商周出版社 1999 年版。

5. 〔美〕阿拉斯戴爾‧麥金太爾著，萬俊人等譯《誰之正義？何種合理性？》，當代中國出版社 1996 年版。

6. 〔美〕瑪麗‧安‧葛蘭頓著，周威譯《權利話語：窮途末路的政治言辭》，北京大學出版社 2006 年版。

7. 〔美〕愛因‧蘭德著，秦裕譯《新個體主義倫理觀》，三聯書店 1993 年版。

8. 〔美〕阿克曼著，孫力等譯《我們人民：憲法的根基》法律出版社 2004 年版。

9. 〔法〕皮埃爾‧勒魯著，王允道譯《論平等》商務印書館 1988 年版。

10.〔法〕貢斯當著，閻克文、劉滿貴譯《古代人的自由與現代人的自由：貢斯當政治論文選》，上海人民出版社 2003 年版。

11.〔法〕皮埃爾‧羅桑瓦龍著，呂一民譯《公民的加冕禮：法國普選史》，上海人民出版社 2005 年版。

12.〔法〕庫郎熱著，譚立鑄等譯《古代城邦：古希臘羅馬祭祀、權利和

政制研究》，華東師範大學出版社 2006 年版。

13.〔英〕阿克頓著，侯建等譯《自由與權力：阿克頓勳爵論說文集》，商務印書館 2001 年版。

14.〔英〕A.J.M.米爾恩著，夏勇、張誌銘譯《人的權利與人的多樣性——人權哲學》，中國大百科全書出版社 1995 年版。

15.〔英〕R.J.文森特著，黃列等譯《人權與國際關係》，知識出版社 1998 年版。

16.〔英〕密爾頓著，吳之春譯《論出版自由》，商務印書館 1996 年版。

17.〔英〕約翰·密爾著，程崇華譯《論自由》，商務印書館 1982 年版。

18.〔英〕阿倫·布洛克著，董樂山譯《西方人文主義傳統》，三聯書店 1997 年版。

19.〔加〕約翰·韓弗理著，彭森等譯《國際人權法》，世界知識出版社 1992 年版。

20.〔日〕大沼保昭著，王志安譯《人權、國家與文明》，三聯書店 2003 版。

[三 ⋯ 法與社會]

盧梭

論沒有一種政府形式適宜於一切國家

　　自由並不是任何氣候之下的產物。所以也不是任何民族都力所能及的。我們越是思索孟德斯鳩所確立的這條原則，就越發感到其中的真理；人們越是反駁它，就越有機會得到新的證據來肯定它。

　　在全世界的一切政府中，公家都是只消費而不生產的。那麼，他們所消費的資料從何而來？那就來自其成員的勞動。正是個人的剩餘，才提供了公家的所需。由此可見，唯有當人類勞動的收穫超過了他們自身的需要時，政治狀態才能夠存在。

　　然而，這種過剩在全世界的各個國家裏並不是都一樣的。在某些國家裏，它是相當大的，但在另一些國家裏卻微不足道，另有些國家里根本就沒有，再有些國家則是負數。這一比率要取決於氣候的好壞、土地所需要的勞動種類、物產的性質、居民的力量和他們所必需的消費量的多少，以及這一比率所由以構成的許多其它的類似比率。

　　另一方面，各種政府的性質也不一樣，它們的胃口也有大有小；而且這些不同還要基於另一條原則，即公共賦稅距離它們的來源愈遠，則負擔就愈重。衡量這種擔負，決不能只根據稅收的數量。而是要根據稅收轉回到原納稅人的手裏時所必須經歷的路程。如果這一流轉過程既簡捷而又規定得好，那麼無論人民納稅是多少，都是無關緊要的；人民總會是富足的，財政狀況總會是良好的。反之，無論人民所繳納的有多麼少。如果連這一點點也永不再回到人民手裏的話。那麼由於不斷的繳納，人民不久就會枯竭；於是國家就永遠不會富足，人民就永遠都是貧困的。

　　由此可見，人民與政府的距離越擴大，則貢賦也就越沉重；因此，在民主制之下人民負擔最輕，在貴族制之下負擔較大，在國君制之下就承擔著最大的重擔了。所以，國君制只適宜於富饒的國家；貴族制只適宜於財富和版圖都適中的國家；民主制則適宜於小而貧窮的國家。

　　事實上，我們越是加以思索，就越會在這裏面發現自由國家與國君制國家之間的不同。在前者之中。一切都是用之於共同的利益；而在後者之中，則公共力量與個別力量二者是互為倒數的，一個的擴大乃是由於另一個的削弱。歸根到底，專制制度之統治臣民並不是為了要使他們幸福，而是要使他們窮愁悶苦，以便統治他們。

　　在每種氣候之下，都有許多自然因素；我們可以根據這些自然因素指出政府的形式，因為政府的形式是受氣候的力量所制約的；我們甚至於可以說出它應該具有哪種樣子的居民。

　　凡是貧瘠不毛的地方，產品的價值抵不上勞動的，就應該任其荒

廢，或者是由生番來居住。人們勞動的所得剛剛能維持需要的地方，應該是由一些野蠻民族來居住；在那裏，一切典章制度都還是不可能的。勞動生產剩餘不多的地方，適宜於自由的民族；土地富饒肥沃，勞動少而出產多的地方，則需要以國君制來統治，以便君主的奢侈能消耗掉臣民過多地剩餘；因為這種過剩被政府所吸收要比被個人浪費掉好得多。我知道，這裏有例外；但是這些例外的本身就證實了這條規律，那就是，它們遲早會產生革命，使得事物又回到自然的秩序。

假設有兩塊相等的土地，其中一塊的產量為五，另一塊為十。如果前者的居民消耗量為四，而後者的居民消耗量為九；那麼，前者產量的過剩是五分之一，而後者的過剩則為十分之一。兩者過剩的比率既然與生產量的比率成為反比，所以生產只等於五的那塊土地，其剩餘就要比生產等於十的那塊土地的剩餘多出一倍。

然而這並不是個產量加倍的問題，並且我也不相信，有任何人竟然把寒冷國土的豐饒程度一般地等同於炎熱國土的豐饒程度。可是，姑且讓我們假設有這樣的相等；如果我們願意的活，讓我們衡量一下英國之於西西里以及波蘭之於埃及吧；再往南就是非洲和印度群島，再往北就什麼也沒有了。為了使它們的產量相等，在耕作方面就應該有多大的懸殊啊！在西西里，只需松鬆土罷了；而在英國卻須付出多麼大的精工細作啊！因此，在必須用更多的人手才能得到同等產量的地方，它的剩餘量也就必然會更少。

除此之外，還應該考慮到同等數量的人在炎熱的國土上。其消耗卻要少得多。氣候要求這裏的人們必須節制食欲才能保持健康；歐洲人在這裏如果要像在自己家鄉里那樣生活，一定會死於痢疾和消化不

良的。沙爾丹說：「比起亞洲人來，我們簡直是食肉獸，是豺狼。有人把波斯人吃得少，歸咎於他們對土地耕種不足；而我則相反，我相信他們的國家之所以不那麼盛產糧食，正是因為居民需要得少。」他接著又說：「如果他們的節食是土地歉收的結果，那就應該只有窮人才吃得少，而不應該所有的人普遍都吃得少；並且在各個省份裏。人們也就應該按照土地的豐饒程度而吃得有多有少，卻不應該是全王國的人都同樣吃得少。波斯人對自己的生活方式非常自豪，他們說只要瞧瞧他們的氣色就可以看出。他們的生活方式比基督教徒的生活方式要優越得多了。的確，波斯人的面色都是匀淨的；他們的皮膚是美麗的，又細嫩、又有光澤；反之，他們的屬民，那些按照歐洲人的方式而生活的阿美尼亞人的面容，則粗糙而多面刺，並且他們的身材也是既肥蠢而又笨拙。」

越是接近赤道。人民生活的所需就越少。他們幾乎不吃什麼肉類；大米、玉米、高粱、小米和卡薩麩便是他們的日常食品。印度群島有好幾百萬人，他們每天的食品還值不到一蘇錢。就是在歐洲，我們也看到北方民族與南方民族之間，食欲有著顯著的差異。一個德國人的一頓晚餐，一個西班牙人可以吃上一星期。在人們比較貪吃的那些國家裏，奢侈也就轉到食品上面來。在英國，奢侈表現為筵席上的肉食羅列；而在意大利，人們設宴則只是用糖果和鮮花而已。

在所有這些不同的考慮之外，我還要補充另一條考慮，它是從這裏面引申出來的，並且還可以加強它們。那就是：炎熱的國度比寒冷的國度所需要的居民更少，而所能養活的居民卻更多；這就產生一種永遠有利於專制制度的雙重剩餘。同樣數目的居民所佔的地面越廣

闊，則反叛也就越困難；因為他們無法敏捷地而又秘密地配合一致，而且政府總會很容易揭露反叛的圖謀，並切斷一切交通的。但是為數眾多的人民越是聚集在一起，政府也就越發無法篡奪主權。首領們在他們的密室之中策劃，也正像君主在他的內閣會議中是一樣地安全；而且群眾集合在廣場上，也會像軍隊集合在營房裏一樣地迅速。因此一個暴君政府的便利之處，就在於它能從遠距離上行動。借助於它所建立的各個支點，它的力量就能像槓杆的力量一樣隨著長度而增大。相反地，人民的力量則只有集中起來才能行動；如果分散開來，它就會消滅，正如灑在地面上的火藥的作用，只能是星星點點地燃燒而已。這樣，人口最少的國家就最適於暴君制；兇猛的野獸是只能在曠野之中稱王的。

（節選自〔法〕盧梭著，何兆武譯《社會契約論》，商務印書館 1980
年版）

編選說明 ● ● ●

　　讓·雅克·盧梭 (Jean-Jacques Rousseau，1712—1778)，法國偉大的啟蒙思想家、哲學家、教育家、文學家，是 18 世紀法國大革命的思想先驅，啟蒙運動最卓越的代表人物之一。

　　1762 年發表的《社會契約論》，是盧梭的一部成熟的法學經典性著作。該書直接為不久以後問世的美國《獨立宣言》和美國憲法及其《權利法案》、法國《人權宣宣》及法國大革命時期的三部憲法，

奠定了理論基礎。在《社會契約論》這本書中，盧梭將其政治法律思想作了全面地概括和展示。書中提出的民主、自由、人權、法治、分權、人民主權等理論，以理性主義、人文主義代替古代的自然主義和中世紀的神學主義，以民主共和國和法治主義反對封建君主專制和等級特權，被視為西方資產階級革命的福音書。

西耶斯

論特權

　　有人說過，對於獲得特權的人來說，特權是優免，而對其它人來說則是喪氣。如果此話不錯，那就得承認特權的發明乃是一種可悲的發明。讓我們設想一個組織得盡善盡美，無比幸福的社會；要徹底搞亂這個社會，只要將優免給予一些人而使其它人喪氣就足夠了，這點不是很明顯嗎？

　　我想就其起源、本質和作用對特權作一番考察。這樣分項考察固然很有條理，但會迫使我一次又一次地重複同樣的思想。考察其起源會使我陷入一場有關事實根據的討論，即一場無休止的爭論；因為，只要費盡心機，在許多現象中去尋找，有什麼事實找不到呢？如若大家願意的話，我寧願假設特權的起源是純而又純的。特權的擁護者，亦即幾乎所有從中得利的人，也不會有更多的企求了。

　　無論何種特權，其目的自然都在於免受法律的管束，或賦予法律所未禁止的某種事物以專屬權利。不受普通法約束便構成特權，只有憑藉上述兩種方式之一，才能擺脫普通法的管束。下面我們將從這兩方面，對一切特權一併加以考察。

　　我們首先要問，什麼是法律的目的？無疑是在於防止某人的自由或財產受到損害。人們不是因喜歡制定法律而制定法律。那些只收妨礙公民自由之效的法律，是與一切團體的主旨背道而馳的；必須毫不

遲疑地將它們廢除。

　　不得損害他人，這是一條母法，所有其它法律均當由此產生。立法者為維護良好的社會秩序，正是將這一偉大的自然法分門別類地具體變成各種實施條文的；所有的人為法即由此而來。能夠阻止人們損害他人的法律是好法津；既不能直接地又不能間接地服務於這個目的的法律必定是壞法律，因為它們妨礙自由，並與真正良好的法律相對立。

　　我們借助於這些基本原理便能對特權作出判斷。那些以免受法律管束為目的的特權是站不住腳的；我們已指出，所有法律都直接或間接地說：不得損害他人；而對特權者似乎是說：允許你們損害他人。沒有任何權力機構得以做出這樣的特許。如果法律是好的，人人都應遵守；如果法律是壞的，那就必須將它廢除，因為它是對自由的侵害。

　　同樣地，任何人也不應對法律未予禁止的事物擁有獨一無二的特權；否則就是奪走公民們的一部分自由。我們亦已指出，凡法律未予禁止的都在公民自由的範圍之內，都是屬於大家的。讓某一個人對屬於大家的東西擁有獨一無二的特權，這等於為了某一個人而損害大家。這種做法既表現了不公正的思想，又表現了最荒誕悖理的思想。

　　因此，按照事物性質來說，所有特權都是不公正的，令人憎惡的，與整個政治社會的最高目的的背道而馳。

　　因此，我們看到，在國民甚至還不曾想到提出抗議的情況下，在我們眼皮底下出現了眾多的特權者，他們帶著宗教般的信仰，宣揚他們僅憑出身便有權獲得榮譽，僅因生存便有權享受人民奉獻中的一

份。

公民的各個階級均有其職能，均有其特殊的工作種類，這些職能和工作的總和構成社會的總運動。假如其中有一個階級企圖擺脫這種普遍規律，人們便可清楚地看到，這個階級不滿足於無所作為，而且必然要成為別人的負擔。

年輕的特權者一過童年便有了社會地位和薪俸；而有人竟然還抱怨薪俸微薄，可是看看那些同齡的非特權者吧，他們只能從事那些必須有才能而且經過學習才能勝任的職業；看看他們在僥倖地得到機會用自己的勞動維持生計之前，縱然從事十分繁重的勞動，有誰能不長期依靠父母的大量補貼！

所有的大門都對特權者的要求敞開著。他們只需露露面，人人都以關心他們的晉升為榮。人們熱情地照管著他們的事務，他們的財富。國家本身，即國家機關，不得不一次又一次地協助安排家庭，商訂婚姻，置辦家產，等等。

受惠較少的特權者到處都可以找到豐富的財源。為男男女女設置的大量神職、一些掛名的或目的不正而且有危險性的軍階，為他們提供薪俸、外快、津貼，而勳章總是少不了的。而且，我們父輩的過錯彷彿還不夠，從某個時期以來，人們滿懷熱情張羅著把這些數目已經相當可觀的無功之祿再增加一些。

那些保留地方三級會議的地區長期以來負責給貧困的特權階級發放津貼。各地方政府已在步此高貴的後塵，而三個等級在一起（因為它們還僅由特權者組成），懷著崇敬的讚賞之情，傾聽所有能解救貧窮的特權階級的各種意見。地方行政長官為此目的已弄到了專款；他

們成功的手段之一就是對貧窮的特權階級倍加關懷；最後，在著作中，在講壇上，在科學院的演說中，在人們交談中，如果你想立即引起你的所有讀者和聽眾的興趣。你只需談論貧窮的特權階級就夠了。看到這種普遍的精神傾向，以及無所不能的迷信替賑濟貧窮特權者安排的那些數不清的手段，我不明白為什麼人們還不在教堂的大門處，為貧窮的特權階級增設——倘若現在還沒有的話——一個慈善箱。

農業、製造業、商業，以及所有手藝行業，為了維持、擴展，並為了國家的繁榮昌盛，都要求分享由它們出力積纍起來的巨額資金，但是毫無結果；特權者吞下了錢，也吞下了人；而這一切都有去無回地奉獻給不事生產的特權者了。

特權的內容是無窮盡的，正像力圖維持特權的種種偏見一樣多。但是讓我們放下這個話題，停止發表由這個問題引起的意見吧。總有一天，我們那些憤怒的子孫們讀到我們的歷史時，將會驚得目瞪口呆，並將以最難想像的癡狂，給這段歷史以應得的描述。我們在青年時代，看到一些文人以勇於攻擊那些有權有勢而對人類又有害的主張而引人注目。今天，他們在言辭和著作中滿足於重複那些過時的論斷，繼續反對那些不復存在的偏見。特權的偏見也許是出現在人世的最危險的偏見；它與社會組織結合得更緊密；它腐蝕社會組織更深；忙於維護它的熱心人更多。激起真正愛國者的熱情而使文人雅士熱情減退的原因正在這裏。

（節選自〔法〕西耶斯著，馮棠譯《論特權第三等級是什麼？》，商務印書館 1990 年版）

編選說明 ●●●

　　埃馬紐埃爾·約瑟夫·西耶斯（Emmanuel-Joseph Sieyès，1748—1836），法國天主教會神父，法國大革命、法國執政府和法蘭西第一帝國的主要理論家之一，法國督政府督政官、法國執政府執政官。

　　西耶斯這本小冊子和《什麼是第三等級》一起喚起了第三等級與特權等級徹底決裂，促進 1789 年 6 月國民議會的建立和 8 月 4 日夜封建制的廢除。他的政治理論和制憲學說對當時以及後世的資產階級政治制度的確立產生了相當大的影響。《論特權》集中揭露了特權階級的壟斷性和寄生性，以及特權的弊端給國家社會帶來的危害。《第三等級是什麼？》著重回答了三個問題：第三等級是什麼？是一切，是整個國家；第三等級在政治秩序中的地位是什麼？什麼也不是；第三等級要求什麼？要求取得某種地位。

韋伯

● ● ●

法律形式主義的意義及其一般條件

　　法律的邏輯結構裏，有某些共通的特色，卻是彼此極為不同的支配形態所產生出來的。一方面，以恭順為基礎的權威，如教權制政治和家產製君主，通常創制出非形式的法律；另一方面，民主制的某些特定形態也會產生出形式上相當類似的結果。原因在於：在所有這些政制下，權力擔綱者，無論是教權制的支配者、專制君主（尤其是「啟蒙的」專制君主），或者是（民主制的）群眾煽動家（Demagogue），除了那些被他們視為宗教上絕對神聖、因此絕對具有拘束力的規範之外，全都不願受到任何形式的限制——即使是他們自己制定的規則——所束縛。他們全都面臨，法律邏輯的抽象的形式主義與他們欲以法律來充實實質主張的需求之間，無可避免的矛盾。因為，法律形式主義可以讓法律機制像一種技術合理性的機器那樣來運作，並且以此保證各個法利害關係者在行動自由上、尤其是對本身的目的行動的法律效果與機會加以理性計算這方面，擁有相對最大限度的活動空間。訴訟成為以和平手段來進行利害鬥爭的一種特殊形式，使利害鬥爭受制於確定且不可侵犯的「遊戲規則」。

　　不過，法官嚴格地受到此種規則和傳統證明方法所束縛。進入「普通法」時代的訴訟後，近代的「舉證責任」理論，只不過在視證明為「義務」這點上、和昔日的訴訟有所分別。此一理論亦使法官受

到當事人向他提出的證據申請和證明手段所束縛。在整個訴訟經營的處理上，情況亦無不同。基於「辯論主義」（Verhand-lungsmaxime），法官只能靜待當事者的申訴。凡是當事人所未申明或提出者，對法官而言，皆不存在；凡是不能以一般規律下的（不管理性或非理性的）證明手段加以釐清的事實，同樣亦不存在。因此，法官所追求的不過是相對的事實——透過當事人的訴訟行動所設定的界眼裏，能夠得出的相對事實。

　　的確，這正是我們迄今所知最古老的、具備明確形式的法發現——相互爭鬥的氏族之間以神諭或神判為手段的贖罪程序和仲裁程序——所具有的性格。正如所有召喚巫術力量或神力的活動一般，此種訴訟程序恪守形式地期待，經由決定性的訴訟手段之非理性的、超自然的性格來獲得實質「公道的」判決。但是，當此等非理性力量的權威和人們對此等力量的信仰消失時，理性的證明手段與合邏輯的判決基礎必然起而取代之，而形式的司法裁判僅余的性格不過是，為了確保真實的探究至少具有相對上最高機會而設定出規制的、當事人之間的利益鬥爭。訴訟的追究運作，是當事人的事，而不是公權力的事。當事人本身若無意追究，法官亦不強制。

　　不過，正因如此，對於實質要求——要求在各個案例上審判應充分考慮到具體的權宜得失與平衡——能夠獲得最大滿足的這種追求而言，法官實在無法響應。因為，形式的司法裁判賦予利害關係者藉以維護其自身形式上合法利益的最大自由，而由於經濟力量的分配原本就不平等——此種不平等性亦借由上述形式的裁判而合法化，所以，此種自由遂一再產生出破壞宗教倫理、甚或政治理智之實質要求的結

果。以此，特別是經濟與社會的權力關係之逐漸分化的機會，也會借著訴訟之為和平的利害鬥爭，而得到進一步的強化。在所有這些事情上，形式的裁判，以其不可避免的抽象性格，處處傷害了實質公道的理想。

不過，另一方面，正是在這種抽象的性格裏，不止是當時的經濟有力者。亦即對己身得以自由利用此種力量而頗感受益者，連同所有那些致力於打破權威的束縛與非理性的群眾本能、而藉以推展個人的機會、且使個人的能力得以自由發揮的意識形態的擔綱者，都看出了形式裁判的決定性優點，反之，他們也在非形式的裁判裏，發現了絕對的恣意和主觀主義的非恒常性之所以出現的機緣。喜好形式裁判的人當中，必然包括所有那些極端重視法律程序的恒常性與可計算性的經濟與政治的利害關係者在內，因此，特別是那些合理的經濟與政治的永續經營的擔綱者。尤其前者（經濟的利害關係者）更是視形式的、理性的裁判為「自由」的保障。

在這點上，主權在民的民主制，與神權政治和家父長君主制的威權勢力，有著交會的傾向。譬如，法國的陪審團違反形式法律而判決丈夫於捉姦時當場殺死姦夫一事為無罪，和（普魯士）腓特烈二世為磨粉業者阿諾德召開「王室裁判」，事實上並無不同。尤其是，神權政治的裁判的整體本質乃是建立在具體的、倫理的權宜觀點的優先考量上，其非形式的、反形式的傾向，只有在面對明確規制的神聖法時，方才受限制。反之，神聖法的規範介入時，神權政治的裁判反而會為了因應法利害關係者的需求而蘊生出異常形式主義的決疑論。世俗的家產製——威權的裁判，即使在本身不得不受傳統所約束之處，

亦因傳統總是相當具有彈性之故，所以比神權政治的裁判要自由得多。

　　無論是神權政治的裁判，或是由世俗的名家——通過判決或透過私人或官方承認的法律顧問活動——所主導的裁判，還是以擔當訴訟訓令的政務官、君主和官吏的公權力與禁制權為基礎的法律與訴訟的發展裏，下面這樣一種觀念絲毫未曾動搖：法律自始至今根本妥當如一，所需要的不過是加以明確的解釋，並使之適用於各個案例。再說，如我們所見的，即使是在經濟方面還相當未分化的情況下，只要巫術定型化的力量被打破，理性協商出來的規範便極有可能出現。非理性的啟示手段——作為改革的唯一手段——之存在，實際上總是意味著規範之高度的彈性，而此種手段之消失，常代表著定型化的進一步增強。因為如此一來，神聖的傳統便於始終唯其為「神聖」，繼而由祭司教士將之昇華為宗教法的體系。

　　（節選自〔德〕馬克斯・韋伯著，康樂、簡惠美譯《韋伯作品集・法律社會學》，廣西師範大學出版社 2005 年版）

編選說明 ●●●

　　馬克斯・韋伯（Max Weber，1864—1920），德國學者，與馬克思、涂爾幹齊名，並列為現代社會學的奠基者。歷任柏林、弗賴堡及海德堡等大學教授。一生著述甚多，為法律社會學在德國的重要代表之一。

　　綜觀韋伯的論述，理性化的問題是其法社會學的主線。韋伯區分法社會學的兩組類型。一組以司法程序的理性化為標準，將實質、形式、理性、非理性四個概念進行排列組合，分別構建出西方法律發展過程中的形式非理性的法、實質非理性的法、實質理性的法和形式理性的法四個類型；另一組以正當統治的理性化為標準，分別構建出傳統型統治、卡理斯瑪型統治和法理型統治三個類型。

　　最後，韋伯還提出了理性化的限制問題，從而深刻指明現代社會的兩難選擇。不過，值得注意的是，歷史並非線性發展，韋伯的類型學只具有指明發展趨勢的意義。

埃得希

法律的實用觀念

　　儘管有薩維尼和普赫塔的理論，但實用法學仍然保持了自從國家控制的司法系統出現後就存在的樣子，即，實用法學還是國家制定法的應用科學。

　　鑒於這些考慮，才有可能理解當前仍占主流的觀點：法律是一種強制的規則，承認可執行請求權與強加可執行義務是法律的基本元素。首先我們必須清楚地理解強制這一用語的含義。它不可能指任何人類心理上的強制，因為人們總是在某種心理強制下行動，甚至心理強制完全在法律的範圍之外。所以，它僅指那些被認為是法律特徵的強制，即諸如通過刑罰或強制執行威脅而實施的那種心理強制。

　　很久以前，人們就發現在相當一部分的狹義公法（Staatsrecht）和行政法中不存在任何意義上的強制。如果某人在回覆這一論點時極力主張這種強制性存在於內閣部長或者議會議員的責任中，或者存在於官員的紀律性責任中，那麼他應當說明，在目前這個階段，一般是否認為這種強制與強制執行中的強制相同。這兩種強制看上去相距極為遙遠。在這一點上，我們可以完全忽略下述心理學問題：無論是諸如在實踐中最終總是被證明很笨拙的對部長的彈劾、還是諸如很多情況下最後總是被證明效果很差的議會議員的責任與官員的紀律責任，那樣駑鈍的武器是否可以被說成是一種強制方式。但是，即便是這一

對策，也會在涉及國際法、教會法和狹義上的公法（Staatsrecht），以及專制國家或非議會制國家中相當大部分的行政法等法域遭到挫敗，特別是在幾乎所有代議團體的資格和議事的規定方面，它會失靈。人們常說，倘若議會中的大多數人或者其它任何代議團體的主持官員同意，則幾乎所有的違反憲法的行為人都不用承擔法律責任。誠然，在上述情況下存在著「公共輿論產生出的限制」、「大眾的憤怒或者怨恨」，並且最後還存在著革命的可能性；但是，這樣一種法律未為規定、也不受法律調整的制裁，它是否可以被認為是法律的本質特徵呢？沒有任何一種社會規範，不管是道德規範、倫理習俗規範、榮譽規範、言行得體規範、禮節規範還是時尚規範，每逢遭到違反之時，會求助於這種意義上的制裁。在一些違反非法律性規範的情況下，這種制裁經常比違反法律規範的制裁更為有效；有時候它甚至強大到中心超過法律執行所產生出的強制。許多人償還賭債卻並不償還其對裁縫的債務，蔑視刑法而與向他挑戰的人決鬥，但是卻盲目地服從於社會的制裁。

　　所有的這些都已經被足夠多地一再陳述，在這裏重提此事或許是多餘的。因此，我僅強調一點──迄今一直被忽視的一點，即，法律並沒有對私法中的大量情形規定有效的法律制裁。特別是在嚴格限於特定時期的、源於永久性法律關係的所有的純粹人身權利方面，此點尤為真實。許多確定家庭成員或者合夥成員間相互權利與義務的規定，確定公司機構、董事會、公司成員和社員大會職責的規定都不能產生出一種可強制的法律情勢，因為，如法學家們所說，它們沒有創造出任何主觀權利，相應地，那裏不存在強制實現它們的任何法律救

濟手段。此類情形中的許多情況下，都不存在當事人可以利用的救濟手段。一個聯合體成員是否會因為董事會沒有按照他的意願安排閱讀室而起訴董事會？一個雇主是否會因為女僕沒有收拾房間而起訴女僕？這樣的訴訟對他會有任何益處嗎？賠償金的請求不能為其提供救濟，因為無論他怎麼強調在這一時刻他的權利是如何重要，最終他都不能證明損失是值得一提的。僅僅是在債務人的行為使得這一法律關係無法再忍受時，債權人才被賦予了一項有效的法律救濟權利，亦即要求解除這一關係和要求賠償損失的權利。但是這並不涉及一項有效強迫另一方履行義務的法律制裁。因為後者經常採取非法的一連串列動致使法律關係解除，並藉此換得賠償金的支付。人類社會的秩序基於通常法律義務會被履行這一事實，而不是基於不履行法律義務將會引發訴由這一事實。

因此，無論如何，這三種因素應當被排除在作為一種由國家維持的強制性秩序的法律概念之外，傳統法學儘管形式上未必總是堅持該概念，但實質上卻一直墨守它。法律必須由國家創制不是法律概念中的本質因素，它也構不成法院或其它裁決機構裁決的基礎，它也不是裁決必然產生的法律強制的基礎。第四種要素保留下來，並且它將必須成為一個分界點，即，法律是一種規整。基爾克在被他稱作聯合體（Cenossenschaften）的團體——他把國家也包括在內——中發現了這一法律特徵，並且在一個翔實的研究中對其給予了說明。這是他的不朽功績。由於他的勞動，我們可以認為如下概念已被確證：在聯合體之概念的範圍內，法律是一種構造方式，換句話說，法律是一種為聯合體每一個成員分配在團體中地位——不管這些成員在團體內是支

配者還是被支配者（Uberordnung,Unterordnung）——和職責的規則；現今完全不可能承認存在於這些聯合體中的法律其主要目的是為了裁決因社區關係而產生的爭端。據以裁判法律糾紛的法律規範即裁判規範僅僅是一種具有有限功能和目的的法律規範。

　　基爾克的學說容易遭到這種反駁：該學說採取了一個特殊的事物觀，但僅僅因為（如它所述）只適用於聯合體的法律，即認為對所有法律領域有效。他自己的著作也清楚地表明，聯合體的法律不僅組織人類，也組織事物。這不僅是聯合體的成員做了什麼或沒有做什麼的問題，而且還是在多大程度上他們可以利用聯合體的財產的問題。很久以前人們就發現，基爾克闡述的觀念廣闊到實際上將整個德國法都包括在其範圍內的程度。這裏包含著真正的偉大的自然法觀念的萌芽。正如無論在哪裏我們發現了有秩序的共同體，我們就會追尋它的足跡，遠遠超越基爾克所設定的邊界；同樣，我們也會在各處發現法律，規整和支撐著每一個人類聯合體。

　　當前，社會科學這一術語包含了人類社會科學的任何一個方面——理論科學和實用科學。因此，它不僅包括了理論經濟學，還包括應用經濟學（如被稱作 Nationalokonomie）、統計學和政治學。在 19 世紀初，法國哲學家奧古斯特‧孔德創造了社會學這一術語用來指稱理論社會科學的整體。人們試圖賦予社會學以特有的內容，使它成為一門獨立的學科。社會學的功能是對所有的理論社會科學的內容進行綜合，這樣就可以組成一個單一的社會科學的「總論部分」。那樣一種科學的存在可能是合理的，但是將它叫做社會學並不可取，因為那樣的話，我們就有必要尋找一個指稱作為整體的社

會科學的術語。迄今法學這一術語包含理論法學和實用法學，並且很可能這一習慣性術語還將被繼續保留。但是，一方面，我們也有必要區分在這一術語恰當意義上的法律理論即法律科學和實用法學（Jurisprudenz）；另一方面在沒有被誤解的危險之處，直接用法律科學（Jurisprudenz）。既然法律是一種社會現象，則每一種法律科學（Jurisprudenz）都是社會科學；但是法律科學這一術語在恰切的意義上是理論性社會科學的一部分，即社會學的部分。法律社會學是理論性法律科學（die wissenschaftliche Lehre vom Recht）。

（節選自尤根‧埃利希著，葉名怡、袁震譯《法律社會學基本原理》，中國社會科學出版社 2009 年版）

編選說明 ● ● ●

尤根‧埃利希（Ehrlich Eugen, 1862—1922），奧地利法學家，社會學法學派在歐洲的首創人之一。1899 年起在切爾諾夫策大學任羅馬法教授。代表性著作有《法的自由發現和自由法學》、《法律社會學的基本原理》、《法學邏輯》等。

埃利希關於「活法」與「國家法」的劃分與龐德關於「行動中的法」與「書本上的法」的劃分有異曲同工之妙。但埃利希及其後繼者們所推動的自由法運動過於激進，進而走向其對立面，他們從懷疑分析法學所主張的法律邏輯到完全排斥之，他們過於強調法官的自由裁量權等。儘管如此，埃利希的法社會學思想的出現，還是有其廣泛的

積極意義。至少它深化了我們對法這一社會現象的進一步認識，豐富
了法學研究的方法。

龐德

文明和社會控制

　　在近代世界，法律成了社會控制的主要手段。在當前的社會中，我們主要依靠的是政治組織社會的強力。我們力圖通過有秩序地和系統地適用強力，來調整關係和安排行為。此刻人們最堅持的就是法律的這一方面，即法律對強力的依賴。但我們最好記住，如果法律作為社會控制的一種方式，具有強力的全部力量，那麼它也具有依賴強力的一切弱點。而且從十七世紀到上次世界大戰時期國際法的成就說明，某種很像法律的東西，雖沒有任何強力的支持，也能夠存在並證明是有效的。

　　我們能否承認，在當前的事實上，調整關係和安排行為是通過由那些行使政治組織社會權力的人們適用強力來實現的，而且就到此為止了呢？我們能否說，實際上是政治組織社會的強力在實施立法者所規定的各種威脅，而站在強力的行使和各種威脅的背後的是虔誠的願望、迷信或託詞呢？有些人感覺到，如同人們大概從二千三百年以前詭辯論者宣佈了懷疑論現實主義立場以來就已感覺到的——我們一定要為法律找到一個較好的根據，一定要找出強力背後的某種東西，強力不可能是社會控制的最終現實；他們的確曾從一個立場被驅趕至另一立場，但是，他們卻從來沒有放棄關於在強力背後有某種永恆的或至少是相對永恆的東西這樣一個觀念。經院主義的法學神學家們在政

府現象背後發現了

　　真理——即聖經所啟示的真理和理性所發現的真理。十七、十八世紀的法學家看到了在這些現象背後的理性。十九世紀的形而上學法學家們看到了一種可以用形而上學來闡明的無可爭論的原理，從這個原理中可以推導出法律來。歷史法學家們看到了體現在人類經驗之中的一種自由的觀念，從中可以引申出展現當時這種觀念的最高峰的法律制度。梅因用黑格爾式的術語，將實現自由這個抽象的一般命題說成是從身份進展到契約的具體的一般命題，因而就使黑格爾和薩維尼的學說，似乎轉向為實證主義了，以至今天有些人把梅因列為一位社會學家。較老的實證主義在政治組織社會的演化背後，也就是在政治組織社會藉以發生作用的法律的背後，發現了社會發展的法則。可是一種比較新的實證主義注意社會的法律安排，是為了去瞭解這種安排本身，它的目的不是為了去瞭解這一切能夠成為什麼，也不是當作能給予我們一種關於應當是什麼的尺度，而是把它當作表明人們曾經使用過的什麼尺度，這些尺度要求什麼以及法律曾如何得以使用它們：這種比較新的實證主義注意社會的法律安排，也是為了去瞭解：人們認為法律的目的是什麼，在人們所假定的以及他們據以行為的假設背後，是否有某種觀念，的確有助於他們正試圖要做的事情，即維護、促進和傳送文明。

　　我可以想像得到，有些人會對我說，就懷疑論現實主義的各種理論在實際行動裏所導致的後果來對它們進行批評，是不科學的。當然，用這種方法來批評關於物質自然界的各種理論是沒有用的。但是我們現在並不是對待物質自然界，對於它，好壞的意見和關於它的各

種現象的批評，都是無關緊要的。我們所對待的是在人類意志領域之中並在這種意志控制之下的各種現象，在這是「實際上是怎樣」並不能告訴我們全部真相。這裏最終的問題始終是「應當是怎樣」的問題，除非政府是為了自己而存在，或法官和行政官員是為了行使權力而進行審判和管理，否則我們就不能迴避這樣的問題：法律上關係的調整和行為的安排，到底有什麼目的或意義？我們不能把強力設想為手段以外的什麼東西。

耶林說，背後沒有強力的法治，是一個語詞矛盾——「不發光的燈，不燃燒的火」。法律包含強力。調整和安排必須最終地依靠強力，縱使他們之所以有可能，除了對一個反社會的殘餘必須加以強制，主要是由於所有的人都有服從的習慣，其實，服從的習慣在不小的程度上是依靠聰明人意識到如果他們堅持反社會的殘餘，那麼強力就會適用於他們。自然法理論反對把法律當作強力，意思就是反對不根據任何原則，而只根據對於便宜行事、公共福利或個別官員的個人便利的各種主觀意見所施用的強力，在這一點上，它並沒有錯，縱使在司法和行政的過程中不可能將個人主觀成分完全排除出去，法律歷史表明，我們可以在這方面邁出很大的步子。文明有賴於摒棄專橫的、固執的自作主張，而代之以理性。即使在這個方面我們尚未達到我們曾相信在上一世紀業已達到的程度，但是人們只要將上一世紀的法律和根據法律的司法同殖民地時代美洲的情況對比一下，就可以瞭解，我們現在認為是十九世紀的那種自鳴得意的自我恭維，有多少在當時畢竟是正當的。

人們告訴我們說，對各種法律理論的酸性化驗就是壞人的態

度——他對於正義、公正或權利毫不在意，只希望知道他做或不做某些事情，將對他發生什麼後果。可是正常人的態度就不是這樣，他反對服從別人的專橫意志，但願意過一種以理性為準繩的生活，他參加選擇那些行使政治組織社會之權力的人，如同中世紀法學家所說的，預期著他們在上帝和法律之下行使權力並以此作為目的去行使權力。難道壞人的態度要比這種正常人的態度更可以成為一種試驗嗎？

（節選自〔美〕龐德著，沈宗靈、董世忠譯《通過法律的社會控制》，

商務印書館 1984 年版）

編選說明 ● ● ●

　　羅斯科・龐德（Roscoe Pound，1870—1964），美國 20 世紀著名法學家，「社會學法學」運動的奠基人，美國法律現實主義運動的早期代表人物。

　　《通過法律的社會控制》，是龐德擔任哈佛大學法學院院長後所作的專題講座講義。其篇幅雖然不大，但內容卻十分豐富。該書用社會學的方法研究法律，強調法律在社會控制中的作用，重視研究法律的實際效果，是龐德的代表作之一，也是美國社會學法學的重要著作。

　　與一般控制論（通過信息的社會控制）不同，龐德是從社會學的角度提出問題的，即人類社會發展的歷史證明，為了維持社會的正常秩序，必須使人類活動按一定的社會的行為規範進行，通過某種社會

力量使人們遵從社會規範，維持社會秩序的過程，就是社會控制。他主張把法律作為社會控制的主要工具，通過法律實現社會控制。

克拉馬德雷

●　●　●

司法與政治：判決與情感

　　雖然公正的觀念與法官的概念是不可分割的，但是，法官必須只依據法律判決的理論卻並未被普遍接受。直到最近，只依據法律的判決才是提供正義的最完善且理性的方法，但它並不是惟一方法，而且，在司法制度史上，法官曾運用各種其它標準或神話來證明他的公正，或至少是公正的外表。

　　然而，沒必要求諸這些離奇、古怪，甚至可能虛構的例子來佐證這一點；當代的司法制度就可以提供許多例證，在這些程序中，法官通過與事先制定的法律的嚴格實施完全無關的方式來審判。

　　在所有這些情形中，法官都不能在法律中找到現成答案；他必須從內在的正義感中尋求解決手頭案件的方法。判決並不是預制的（prefabricated）；它必須被製作，以供宣佈。

　　這種現象的最明顯例證也來自於當代經驗，來自於司法在革命時期或其後期之運轉情境。

　　顯而易見，在所有這些情形中，法官都沒有把自己的判決建立在先定的規則上；相反，他的判決來源於他作為政治人（political being）的情感，他生活於社會當中，並分享著社會的經濟和道德渴求，這個社會的喜好和憎惡，以及它的荒誕，所有這些可以合稱為當時的政治氣候。就這樣，政治向法律的轉型逐步發生；它並不是謀劃

未來的立法者的功勞，而是為手頭案件找尋具體法律的法官的傑作。這就是理論家所稱的法官製造的法律，其中的「宣判」（sentence）並不是知識和智力的產物，而是對已經存在的事物的認知；它有詞源學的根據，來自於「情感」（sentiment）。它是以社會經驗為基礎的意志表達，據此，法官通過自己的判決，努力實現特定的社會效用。即使在判決案件時，法官也遵循某些普遍前提的指引，他相信自己的社會認同這些前提，他有自身內發現這些銘刻於其良知之上的前提。

但是，建立在分權基礎上的憲政制度，並不賞識這種法官製造的法律，這是動態且浪漫的司法，相反，它卻更加青睞那種議會制定法律的靜態且「理性」的理論，它宣稱要實現司法和政治的完全分離。

這就是法治理論，是旨在於憲政體制的穩定階段而運作的完美機制。這種理論的基礎是：恬靜的樂觀主義。在這裏，自由互動仰仗民主社會的所有炫目的原則，諸如保護司法判決免受法官恣意影響的權力的「理想化」；在立法和司法職能之間畫出界限的權力分立；為個人自由提供基本保障的法律的確定性。

但這是現實還是幻想？在法律規則下，法官的判決是可以預測的，沒有任何犯錯的可能，這是真實的嗎？像研究司法實踐的歷史學家一樣，法官只確定已經存在的東西，而不會通過自己的意志，來影響這種現實的實際表現，使它看似由自己的情感促發，這符合實際嗎？

在我早期的一項研究中，我也把判決描述為三段論的鏈條。然而，此後我在律師協會的經歷證明，儘管這種描述沒有錯，但它是不完全的，而且沒有深度。把判決比作三段論的人並沒有把判決看作生

動的現實；他只觀察到判決的乾癟外形。

因此，我們可以得出結論：如果把法官職責僅僅化約為三段論行為，就將使他的高尚職業枯竭、乾癟、且低劣。司法是警醒且敏感的人類良知的創造，必須有一種對自身責任的自覺，此即通過他的活力和人性的貢獻而使法律完善。

法官，連同大部分其它政府官員一起，在民主社會中面臨的最嚴重危險是：冷漠無情、官僚主義的麻木以及匿名的不負責任。因為官僚不再是生機勃發的人，他們變成檔數碼、索引卡片和「個案」；也就是說，在一個充滿文檔的資料夾中，隱藏著一個乾癟的人。等待官方行為的人們面臨的麻煩不再能打動官僚。他看到的只是桌上的厚重檔，他惟一的考慮就是找尋權宜之計，以把這些檔轉送到另一位官僚的桌上，藉此使自己擺脫進一步的煩擾。

如果法官受到這種官僚式冷漠的影響，如果他們對自身責任的緊迫召喚無動於衷，這對我們將是多大的悲哀啊！

當人們考慮法官所無視的人類悲痛的重累，他可能會感到驚訝：在這種嚴肅責任的重壓下，法官們怎麼能安然入睡。而且，如果從字面上解釋法治理論，司法三段論的精巧設計似乎就是明確用來使法官擺脫這種重負，並使他享受嬰兒般的天真睡眠。

讓我們假定，某人被弔在廣場上，被法官判處死刑。刑罰已經執行，儘管它是不公正的──這個人是無辜的。

誰應該為謀殺這個無辜的人負責──是制定法律並確立死刑原則的立法者，還是在該案件中實施法律的法官？

司法三段論同時為立法者和法官提供了逃避責任的機會。

具體法律、普遍的宣判——通過這些表述，立法者和法官逃避了自己的責任，並把責難推向對方；通過這種方式，他們都能安然入睡，而那個無辜的人卻在絞刑架上搖擺。

但這不應是民主社會的司法；它也不配做自由人共同體的法官。如前所述，民主是一種承諾（commitment），一種投效（engagement）：「沒有這種投效，憲法方法就是死的。」

這也同樣適用於司法技術。

我們不再滿足於孟德斯鳩描述的法官——他是由純粹邏輯製造的無生命的存在。我們需要具有靈魂的法官，這些法官盡心盡責，關注他們應懷擁的永恆的警醒與人性，接受提供正義的沉重負擔和莊嚴責任。

（節選自〔意〕皮羅·克拉馬德雷著，翟小波、劉剛譯《程序與民主》，高等教育出版社 2005 年版）

編選説明 ● ● ●

皮羅·克拉瑪德雷（Piero Calamandrei, 1889—1956），是 20 世紀前半期意大利著名法學家，民事訴訟法領域的泰斗級人物，也是 1948 年意大利《憲法》的締造者之一。

《程序與民主》是克拉瑪德雷討論現代訴訟程序的著作。該書篇幅雖小，但影響甚大（西方學者譽其為現代訴訟法學基本理論的奠基之作）。該書雖名為《程序與民主》，但核心主題卻是司法過程的性

質。

　　《程序與民主》一書從法律程序中的正義、邏輯、常識和發現技術入手，以當時意大利的訴訟法為基礎進行國別對比和歷史考察，討論了法院運作與民主之間的關聯。在該書中，作者對自由主義理念支配下的形式主義程序觀作了深刻反思，認為民主並非統治行為尤其是國家政治領域的治理機制，而是指尊重個人自由、平等和權利的態度和行動。該書是「二戰」後西方學者從程序視角對自由主義法學進行全面反省的第一部力作。

富勒

法律作為有目的的事業和法律作為社會力量的表現事實

　　本章所考察的多組對立觀點可以說是在不同的語境中反映出一種單一的、根本性的分歧。這種根本性分歧可以表述為：我堅持認為法律應當被視為一項有目的的事業，其成功取決於那些從事這項事業的人們的能量、見識、智力和良知，也正是由於這種依賴性，它注定無法完全實現其目標。與此相反的觀點認為，法律被視為社會權威或社會力量的表現事實，對它的研究應當關注於它是什麼、已經做了些什麼，而不應側重於它試圖做什麼或正在變成什麼。

　　在討論這一根本對立時，讓我首先來考慮一下在我看來導致了我所反對的那種觀點的各項考量。由於我沒有權力代表對方說話，我對這些考量的表述只能採取假設的形式。不過，我將盡力將其表述得具有說服力。

　　這樣的一項表述可能首先會承認目的在解釋個別法律規定的過程中可以扮演適當的角色。一部制定法顯然是一件有目的的東西，服務於某一目標或一系列相關目標。需要反對的不是將目的賦予特定的法律，而是說法律作為一個整體具有某種目的。

　　有人可能會說某種目的或目標分派給一整套複雜的制度體系的做

法在哲學史上有著非常不好的先例。它使我們想起德國和英國唯心主心的極端形態。人們認為，一旦我們開始談論法律的目的，我們最後就會說起國家的目的。即使我們認為黑格爾精神捲土重來的危險不大可能出現，我們這裏所談到的這種觀點也還有其它令人不安的關聯因素。

為了回應這些批評，我首先要提醒大家注意：我所認為的法律制度的目的是一種很有分寸的、理智的目的，那就是：使人類行為服從於一般性規則的指導和控制。這樣一種目的很難走向黑格爾式的極端立場。其實，將這種目的賦予給法律似乎是一種無害的自明之理，如果其寓意既非深奧難解，也非無足輕重。

在自我剝奪最節制地暢遊於我所提倡這種目的論之中的權利之前，我們應當仔細思考一下這種剝奪的代價。這種代價中最重要的一項因素在於我們事實上會完全喪失界定合法性的標準。如果法律僅僅是權威或社會力量的一項表現事實，那麼，雖然我們還可以談論個別立法的實質性正義或非正義，我們卻不能再討論一套法律制度作為一個整體在多大程度上實現了合法性的理想；例如，如果我們要忠實於我們的討論前提的話，我們就不能宣稱 X 國的法律制度比 Y 國的法律制度取得了更高程度的合法性。我們可以談論法律中的矛盾，但我們卻沒有任何標準來界定什麼是一項矛盾。我們可以對某些類型的溯及既往型法律表示不滿，但我們甚至無法解釋一套完全回溯性的法律系統究竟錯在什麼地方。如果我們觀察到法律的力量通常是在適用一般性規則的過程中得到表達，我們也想不出更好的解釋，而只能說：最高的法律權力享有者負擔不起在每一條街道派一名下屬來告訴人們

如何去做的成本。

　　理論傾向於異常強調準確界定最高法律權力的重要性，這一點無疑表現出一種擔心：在這一點上含混不清可能導致作為一個整體的法律系統的瓦解。再一次，人們忘記了：沒有任何一套來自於上級的指示可以無需受目的感指引的明智行為而自行。即使是最基層的治安法官，雖然他可能無法從總體上理解限定其司法管轄權的那一套語言，但他通常也能洞見自己的權力來自於一項職務，而這項職務是一個更大的系統的組成部分。他至少有審慎從事的判斷力。一個法律系統中各要素之間的協調不是一件可以簡單地強加的事物；它必須被實現。幸運的是，一種適當的角色感，再加上一點點智識，通常便足以矯正形式系統中的缺陷。

　　我認為，在拒絕賦予作為一個整體的法律以任何目的（不論這種目的是多麼適度和有限）的各種觀點中存在一種奇怪的反諷。沒有任何一種思想流派曾經冒險宣稱它可以理解現實而不必從中辨識出結構、關係或模式。如果我們被一系列無形式的、具體而毫無關聯的偶發事件所包圍，我們就無法理解或談論任何事情。如果我們將法律視為「事實」，我們必須推定它是一種特殊類型的事實，具有能夠使其區別於其它事實的可界定的品質。事實上，所有的法律理論家都無法簡單明瞭地告訴我們它究竟是何種事實——它不是被「放大了的持槍要脅的情形」，它通常涉及將一般性規則適用於人類行為，等等。

　　這種發現和描述使法律成其為法律的那些特徵的努力通常會取得一定程度的成功。為什麼會這樣？其原因一點兒也不神秘，它存在於這樣一項事實當中：在幾乎所有的社會中，人們都能看到某些類型的

人類行為服從於規則之明確控制的需要。當他們開始從事確保這種服從的事業之時，他們就會逐漸看到這項事業包含碰上某種自身的內在邏輯，也就是說，如果它的目標要得到實現，它就必須強加某些必須被滿足的要求（哪怕有時這些要求會造成相當程度的不便）。正是因為人們總是能夠在某種程度上理解並尊重這些要求，法律制度在本來千差萬別的不同社會中呈現出某種相似性。

　　因此，正是因為法律是一項有目的的事業，它才呈現出法律理論家們能夠發現並且將其視為給定事實情境中的一致因素的結構恆定性。如果他們能夠認識到自己的理論所賴以建立的基礎，他們就不會再如此傾向於將自己想像成在無生命的自然界中發現規律的科學家。但是，可能正是在反思自己的學科的過程中，他能夠獲得對自己研究對象的新的尊重，並且能夠認識到：不只是電子才會留下可辨識的模式。

（節選自〔美〕富勒著，鄭戈譯《法律的道德性》，商務印書館 2005
年版）

編選說明 ●●●

　　富勒（L.L.Fuller，1902—1978），美國著名法學家，第二次世界大戰後最權威的西方法律哲學家之一。他的新自然法學說，主要涉及他所說的自然法的程序法。他的理論觀點，主要集中在《法律的道德性》一書中。

　　富勒在本書中提出了「法律的道德性」這一觀點，並在此基礎上分析道德使法律成為可能以及法律的概念及本質等問題，是美國公認的法學經典著作之一。

　　富勒認為法是使人的行為服從規則治理的事業。他把法當作一種活動，一種有目的的和不斷努力的事業，其成功有賴於處理法的人，因而法也就注定不能完全實現自己的目的；而反對這種觀點者則認為法是社會權力，只研究法現在是什麼和做什麼，而不是去研究法打算做什麼或變成什麼。

伯爾曼

一種世界秩序發展中的法律與宗教

　　人類在經歷了兩次世界大戰之後已經抵達其歷史上的一個轉捩點，世界已經進入到一個全球相互依賴的新時代，地球上的居民有著一種共同的命運，這是一個已經最終深入大多數人們、包括大多數國家政治領導人的意識當中的歷史事實、政治事實、經濟事實和社會學的事實。

　　流行的法律概念，包括流行的社會學的法律概念，始於一個視法律為規則體系的法律定義，它們通常在制定並以暴力懲罰來實施這些規則的政治權威的意志或者政策中發現其最後的淵源。這即是法律理論中所謂實證主義學派的法律定義，這個定義為 Max Weber（韋伯）所接受。

　　如果單從實證主義的立場把法律看成是由政治權威所制定和由強力制裁所支持的規則體系，我們自然不會把法律與宗教聯繫在一起。基於那種看法，甚至是在建立了教會或者聲稱具有宗教使命的民族國家，要把國家法與宗教聯繫在一起也是困難的。

　　法律社會學家通常認為，存在於早期社會的法律與宗教的聯繫在現代被切斷了。他們把 Weber 式法律的「合理性」模式與「世俗」模式聯繫在一起。現代國家的法律，他們說，不反映終極意義和生活目的任何含義；相反，其任務是有限的，物質性的，非人格的——安排

完成若干事情，讓人們依某種方式行事。在社會學文獻也在其它文獻中，法律人就像其兄弟經濟人一樣被描繪成使用其頭腦、壓抑其夢想、信仰、激情和對終極目的之關切的人。同樣，法律制度整體上也像經濟制度一樣，被看成是一架巨大而複雜的機器，Weber 式的科層制，其中，單個零件根據特定刺激和指令完成特定功能，而與整個事業的目的無關。

　　然而在所有的社會裏，法律本身鼓勵對其約束力的信仰。它要求人們的遵從，不只訴之於被要求服從法律的人們的特質的、非人格的、有限的、合理的利益，而且訴諸他們對超越社會功利的真理和正義的信仰——這並不符合流行的理論所提出的世俗主義和工具主義的形象。

　　說法律與宗教關係密切，說它們相輔相成、互相作用，要求不僅有一個寬泛的法律定義，也要求一個寬泛的宗教定義。如果宗教被僅僅視為與超自然相關和一系列教義和實踐，那它也很容易被孤立於包括法律在內的生活的其它方面。但是如果著眼於涉及生活目的和意義的共同直覺和信仰，著眼於關乎創造與救贖、超驗價值、人類本性與命運的共同情感（以及共同思想）來定義宗教，那麼，就很難把法律關係、法律過程和法律價值排除在其範圍之外。

　　在現代法律制度中，法律與宗教的相互作用首先反映在法律的儀式裏面——法律的莊嚴語辭、法律程序的儀規、我們傳統中法律對誓言的倚重；其次是法律對傳統的依賴，它對過去的延續和它那生生不息至於未來的意識；第三是它對權威的訴求，不管是法院的權威還是統治者的權威、先例的權威還是制定法的權威，或者，在我們這裏，

成文憲法的權威；第四是其道德普遍性，是它的公理式的自辯──罪行要受到懲罰、侵權應受到補償、契約應當被遵守、政府應當尊重個人的德行等等，而這不僅僅是出於實用主義的或者功利主義的或者哲學的理由，而是為著宗教的理由，也就是說，因為一種包羅萬象的道德本體、一個宇宙中目的的緣故。

　　因此，法律被賦予神聖性，沒有這種神聖性，法律便失卻其力量。沒有神聖性，任何強制都將無效，因為強制者本身會腐敗。這種神聖性就是法律的宗教向度。

　　世界社會不停地將由而且正由各種經常是彼此敵對的不同共同體和利益組成。國家的、種族的、宗教的、意識形態的、基於階級的、基於性別的和其它種對抗無疑將繼續存在。二十世紀新的發展在於，我們所有人都被牢牢鎖定在一個地球上，無法分開。所以，問題就變成：我們怎樣才能調和對抗各方？我們如何創造一個共同的未來？每一方都能夠由其它方借取補足其不足所需的品質嗎？

　　這裏，法律與宗教各自和共同扮演著關鍵角色。我從未主張國家法制現存的多樣性能夠或者應當被消除，或者，現存的多種多樣的宗教應當讓位於一個設立的世界宗教。我相信，那會是最糟糕的可能的結果。因為在專制和無政府狀態之間，我寧願取無政府狀態。我們的一個世界，是且必須是一個多元的世界，一個有許多不同的民族、種族、行為和社會制度的世界。但它也必須是一個世界。Epluribus unum。既為多元，又是一個。

　　我們所面對的抉擇是，或者耽於各種力量之間的一種不穩定的國際平衡，只有相對初級的具普遍性的法律和宗教資源，或者，在另一

方面，慢慢重塑和調和世界上現存的各種不同的互相衝突的集團和各種不同的利益。

（節選自〔美〕伯爾曼著，梁治平譯《法律與宗教》，中國政法大學出版社 2003 年版）

編選説明 ● ● ●

哈樂德・伯爾曼（Harold J. Berman，1918—2007），世界知名的比較法學家、國際法學家、法史學家、社會主義法專家，以及法與宗教關係領域最著名的先驅人物。他對中國當代法學界也產生過重大影響，是中國法學界比較熟悉的外國法學家。曾任美國愛莫蕾法學院教授、哈佛大學法學院榮譽教授。

《法律與宗教》是伯爾曼 1971 年在波士頓大學的講演集。伯爾曼從人類學的角度出發，認為所有的文化都包含有法律和宗教。但是，當代西方法律並未重視其自身應當有的宗教因素，因而經常被描述成世俗的、合理的和功利的制度——一種達到功利目的的手段。法律因而失去了神聖性而淪落為塵世中的一種工具。

「法律必須被信仰，否則它將形同虛設。」美國著名法學家伯爾曼的這一名言，道出了法治的真諦。

福柯

懲罰的溫和方式

　　懲罰藝術必須建立在一種表象技術學上。這項工作只有在成為某種自然機制的一部分時才能成功。尋求對一種罪行的適當懲罰，也就是尋求一種傷害，這種傷害的觀念應能永遠剝奪犯罪觀念的吸引力。這是一種操縱相互衝突的能量的藝術，一種用聯想把意象聯繫起來的藝術，是鍛造經久不變的穩定聯繫的藝術。這就需要確立對立價值的表象，確立對立力量之間的數量差異，確立一套能夠使這些力量的運動服從權力關係的障礙——符號體系。這些障礙—符號應該組成新的刑罰武庫，正如舊的公開處決是圍繞著一種報復標誌系統而組織的。

　　然而，如果說刑罰被監禁所壟斷令人感到驚訝，那是因為監禁並不是如人們所想像的已經在刑罰體系中被確定為僅次於死刑的懲罰，也不是自然而然地佔據了因公開酷刑的消失而留下的空白。實際上，許多國家與法國的狀況一樣，監禁在刑罰體系中僅僅佔據著有限的、邊緣的位置。這可以從各種文獻中得到證明。

　　當時還需要克服另外一個障礙——至少在法國是一個相當大的障礙。監禁之所以不能勝任那種重大角色，是由於監禁在實踐中是直接與專橫的君主意志和無節制的君主權力聯繫在一起的。「監禁所」、總醫院、「赦令」或治安長官的命令，顯貴人士或家族獲得的蓋有國王印章的密箚，構成了一整套與「正常司法」相平行的，往往與之衝

突的鎮壓實踐。這種超司法的監禁逐漸受到古典法學家和改革者的批判和否定。

毫無疑問，這些出自不同人的抗議並不是針對作為合法刑罰的監禁，而是針對「非法」地濫用不明確的拘禁。然而，一般來說，監禁被視為帶有濫用權力的印記。因此，許多陳情書都反對它，認為它與健全的司法是水火不容的。

而教養機構則以全然不同的方式活動。刑罰的作用點不是表象，而是肉體、時間、日常行為態度。刑罰也施於靈魂，但僅僅是由於習慣寓於靈魂。作為行為的基礎，肉體與靈魂構成了此時被建議實施懲罰干預的因素。這種懲罰干預不應基於一種表象藝術，而應基於一種有計劃的對人的操縱。至於所使用手段，就不是被強化和被傳播的表象體系了，而是被反覆使用的強制方法，不是符號，而是活動：時間表、強制性運動、有規律的活動、隔離反省、集體勞動、保持沉默、專心致志、遵紀守法、良好的習慣。而且，歸根結底，人們試圖通過這種改造技術所恢復的，不是捲入社會契約的基本利益中的權利主體，而是恭順的臣民。他應該聽命於習慣、規定、命令和一直凌駕於頭上的權威，讓這些東西在他身上自動地起作用。這樣，對於犯罪應用了兩種顯然不同的反應方式。根據某種一般的和具體的權力形式，人們可以恢復社會契約的權利主體，也可以塑造一種恭順的臣民。

如果「強制性」刑罰沒有造成某種關鍵性後果的話，那麼上述這些幾乎無異於一種思辨差異，因為在任何一種情況下都要塑造恭順的個人。根據完備的時間表進行行為訓練、培養習慣和對肉體加以限制，這些暗含著被懲罰者與懲罰者之間的一種特殊關係。這種關係不

僅使公開展示變得毫無價值，而且乾脆排斥公開展示。懲罰執行者應該行使一種絕對的權力，任何第三者都不得干擾他。被改造者應該完全置於那種權力之下，至少從這種懲罰技術的角度看，隱蔽性和獨立性都是絕對必要的。懲罰應該有自己的運作方式，自己的規則，自己的技術，自己的知識。它應該確定自己的規範，決定自己的效果。從與那種宣佈罪行和規定懲罰的一般界限的合法權力的關係來看，這裏有一種斷裂，或者說有一種特殊性。這兩個後果──行使懲罰權力的隱蔽性和獨立性──對於持有下述兩個宗旨的刑罰理論和政策來說是不可接受的；應使所有的公民都參與對社會公敵的懲罰，應使懲罰權力的行使完全符合明文規定的法律。如果實施法典上沒有的懲罰或秘密懲罰，如果懲罰權力的行使不符合標準，帶有晦暗性，所使用的手段逃避了控制，那麼這就足以損害改革的總體戰略方針。在判決之後，就會形成一種使人聯想到舊制度中的那種權力的權力。實施懲罰的權力就可能變得如同曾經有權決定刑罰的權力那樣專橫。

　　分歧在於，是建立一個懲罰之城還是建立一個強制制度？前者是遍佈整個社會的刑罰權力的體現。它作為景觀、符號和話語而無處不在。它像一本打開的書，隨時可以閱讀。它通過不斷地對公民頭腦反覆灌輸符碼而運作。它通過在犯罪觀念前設置障礙來消除犯罪。如塞爾萬所說的，它對「大腦的軟組織」無形地但徒勞地施加影響。這種貫通整個社會網路的懲罰權力將在每一點上起作用，但結果是，它不讓人感覺是某些人對其它人的權力，而是所有的人對單個人的直接反應。後者是懲罰權力的濃縮體現：這裏有一種深思熟慮的對犯人肉體和時間的責任觀念，有一種借助權威和知識系統對犯人活動和行為的

管理，有一種齊心協力逐個改造犯人的矯正學，有一種脫離社會共同體，也脫離嚴格意義上的司法權力的獨立行使的刑罰權力。監獄的出現標誌著懲罰權力的制度化。更準確地說，對於懲罰權力（在 18 世紀晚期具有戰略目標的、力求減少民間非法活動的懲罰權力）來說，是隱藏在一種普遍的社會功能下面、隱藏在「懲罰之城」中更為有利，還是埋頭於一種強制制度、即「教養所」的封閉空間中更為有利？

　　總之，可以說，在 18 世紀晚期，人們面對著三種組織懲罰權力的方式。第一種是依然發揮作用的，基於舊的君主制度的方式。另兩種都基於一種認為懲罰權利應屬於整個社會，應具有預防和改造功能的功利主義觀念。但這二者在所設想的機制方面迥然不同。廣義地看，人們可以說，在君主制度中，懲罰是君權的一種儀式。它使用報復的儀式標誌，對犯人的肉體施加報復。它是君主及其權力的物質表現。它是不連貫、不規範的，總是凌駕於自身的法律之上，它在眾目睽睽之下製造強烈的恐怖效果。而主張改革的法學家則把懲罰視為使人重新獲得權利主體資格的程序。懲罰不應使用標誌，而應使用符號，即一系列被編碼的表象。這些表象應能得到迅速的傳播，並能最普遍地被目睹了懲罰場面的公民所接受。但是，在當時提出的監獄制度設想中，懲罰被視為對人實行強制的技術。它通過在習慣、行為中留下的痕跡，施展訓練肉體（不是符號）的方法。它以建立一種特殊的管理刑罰的權力為先決條件。這樣，我們就看到了三個系列的因素：君主及其威力、社會共同體、管理機構；標誌、符號、痕跡；儀式、表象、操作；被消滅的敵人、處於恢復資格過程中的權利主體、

受到直接強制的個人；受折磨的肉體、具有被操縱的表象的靈魂、被訓練的肉體。這三個系列的因素塑造了 18 世紀後半期鼎足而立的三種機制的形象。它們不能歸結為不同的法律理論（儘管它們與這些理論重合），它們也不能等同於不同的機構或制度（儘管它們以後果為基礎），它們也不能歸因於不同的道德選擇（儘管它們以道德為自身的理由）。它們是懲罰權力運作的三種方式，是三種權力技術學。

　　這樣，就出現了下述問題：為什麼第三種方式最終被採納了？懲罰權力的強制的、肉體性的、隔離的、隱秘的模式，為什麼會取代表象的、戲劇性的、能指的、公開的、集體的模式？為什麼體罰（不是酷刑）以監獄為制度依託，取代了懲罰符號的社會遊戲和冗長的傳播符號的節日？

（節選自〔法〕蜜雪兒・福柯著，劉北成、楊遠嬰譯《規訓與懲罰》，

三聯書店 1999 年版）

編選說明 ●●●

　　蜜雪兒・福柯（1926─1984），20 世紀極富挑戰性和批判性的法國思想家。在後現代主義的諸子百家中，福柯對於社會、知識、話語和權力的分析無疑是獨樹一幟的。他指出，所謂現代性實際上不外是一種新的控制和統治形式，而理性的主體和客觀的知識等等都是現代性的產物，是在特定社會歷史條件下權力控制的結果。

　　1975 年問世的《規訓與懲罰》是蜜雪兒・福柯的代表作之一，

標誌著福柯的研究進路從知識考古學轉向譜系學。福柯稱這部著作為「我的第一部著作」。按照福柯自己的看法，《規訓與懲罰》旨在從譜系學的立場論述現代靈魂與新的審判權力之間相互關係的歷史，由此證明懲罰權力在現行科學——法律綜合體中是如何獲得自身的基礎、證明與規則的。

諾內特、塞爾茲尼克
回應型法

　　探求回應型法已成為現代法律理論的一個持續不斷的關注點。如同 J. 弗蘭克所指出的那樣，法律現實主義者的一個主要目的就是使法律「更多地回應社會需要」。龐德的社會利益理論是為發展一種回應型法的模型而做出的更直接的努力。在這種理論看來，好的法律應該提供的不只是程序正義。它應該既強有力又公平；應該有助於界定公眾利益並致力於達到實體正義。

　　現實主義和社會學的傳統所具有一個首要論題就是打開法律認識的疆界。對所有衝擊法律並決定其成效的因素都要有充分的瞭解。這僅僅是取得某種更廣泛的有關法律參與和法律作用認識的一個步驟。法律機構應該放棄自治型法通過與外在隔絕而獲得的安全性，並成為社會調整和社會變化的更能動的工具。在這種重建過程中，能動主義、開放性和認知能力將作為基本特色而相互結合。

　　乍一看，這只是對更富識見、更具成效的機構的一種無關宏旨的呼喚，進一步細察則會發現它提出了一種極其重大的挑戰。這種挑戰引起了強烈的反對。人們擔心，一種工具主義法理學會對法律權威的不確定性置之不顧。由於對程序形式的尊重程度降低以及規則處於被懷疑狀態，官員和公民的行為就更容易隨心所欲。批評者認為，由此而來的結果就是法律失去其約束官員和要求服從的能力。因此，一個

不能忍受法律技巧約束的法院所作判決的那種軟弱無力的正當性證明和被削弱的權威，使那些研究能動主義的沃倫法院的學者們感到驚恐。

實際上，在開放性和忠於法律之間存在著某種緊張關係，這種緊張關係構成了法律發展的一個主要問題。然而，這種兩難抉擇並非為法律所獨有；所有的機構都要受著完整性與開放性之間的衝突。如果外在的控制把一個機構牢牢地束縛於某種獨特的使命，或者能使它保持對這種使命負責，那麼完整性就得到保障。可是，受約束的機構變得太拘泥於它們行事的觀點和方法了，它們對周圍環境喪失了敏感性。如果行動能夠由確定的標準來衡量，那麼就非常容易保持負責任；同時，在責任被嚴密界定並且很容易履行的地方，要求負責任也會助長不完全感和一種尋求官僚避難所的行為。換言之，負責任孕育了形式主義和退卻主義，它使機構變得僵硬，從而無法應付新的突發事件。這是一方面。另一方面，開放性意味著寬泛地授予自由裁量權，以便官員的行為可以保持在靈活、適應和自我糾正錯誤的狀態。但是，責任如果不嚴格，就比較容易躲避，因而存在著一種由於尋求靈活性而放鬆約束的危險。因此，開放性很容易退化為機會主義，即，無控制地適應各種事變和壓力。

壓制型法、自治型法和回應型法可以理解為對完整性和開放性的兩難抉擇的三種回答。壓制型法的標誌是法律機構被動地、機會主義地適應社會政治環境。自治型法是對這種不加區別的開放性的一種反動。它的首要關注是保持機構的完整性。為了這個目的，法律自我隔離，狹窄地界定自己的責任，並接受作為完整性的代價的一種盲目的

形式主義。

　　第三種類型的法力求緩解上述緊張關係。我們稱之為回應的而不是開放的或適應的，以表明一種負責任、因而是有區別、有選擇的適應的能力。一個回應的機構仍然把握著為其完整性所必不可少的東西，同時它也考慮在其所處環境中各種新的力量。為了做到這一點，它依靠各種方法使完整性和開放性恰恰在發生衝突時相互支撐。它把社會壓力理解為認識的來源和自我矯正的機會。要採取這種姿態，一個機構就需要目的的指導。

　　探求目的對於法律機構來說是一項冒險的作業。在大的商業企業中，以往的傳統很容易被看成是合理性的障礙。大體說來，商業組織可以使其規則非神秘化，並變更其程序。但是，有些機構，尤其是宗教機構和法律機構，已非常依賴儀式和先例去保持同一或維持正統性。對它們來說，通往回應性的路必定是危險的；不能抱輕易樂觀的態度。自治型法與回應型法之間的差異，在某種程序上來自於對這種危險的截然有別的評估。自治型法採取「風險小」的觀點。它對那種有可能助長懷疑公認權威的東西加以提防。回應型法的鼓吹者在呼喚一種更有目的、更開放的法律秩序時，則選擇「風險大」的觀點。

（節選自〔美〕諾內特、塞爾茲尼克著，張誌銘譯《轉變中的法律與社會：邁向回應型法》，中國政法大學出版社 1994 年版）

編選説明 ●●●

　　諾內特（Philippe Nonet），出生於比利時，後留學美國，主要在塞爾茲尼克的指導下研究法的政策論，以代表作《行政的正義》一書獲得博士學位。現在，他與塞爾茲尼克（Pilip Selznick）都是美國法律社會學的主要代表人物。

　　本書作者的目的是要改造法制，設定一個符合社會變革需要的規範性模式。其基本構思是：使實質正義與形式正義統合在一定的制度之內，通過縮減中間環節和擴大參與機會的方式，在維護普遍性規範和公共秩序的同時，按照法的固有邏輯去實現人的可變的價值期望。從法制的進化過程來看，這種「回應型法」的出現是具有某種必然性的。他們把社會上存在的法律現象分三種類型：「壓制型法」、「自治型法」以及作為改革方向的「回應型法」。

昂格爾

●●●

超越現代社會的法律：兩種可能性

　　人們在解釋現代社會中，特別是後自由主義社會中那些起作用的法律趨勢的意義時，主要採用兩種方式。目前，尚不能證實也不能證偽這兩種解釋，因為，它們代表了現代主義中內在的可能性。

　　第一種假設可用一種封閉的迴圈這一比喻加以概括。它願意把整個法律史看作是一個趨向於某一點，隨後又返回到出發位置的運動。在西方法律史上，我們已經看到，具有公共性和實在性規則的官僚法是如何建築在習慣性慣例的基礎上，又如何依次被信奉法律規範普遍性和自治性的法治部分地取而代之。通過破壞法治理想的社會和意識形態基礎，後自由主義社會的福利趨向竟推動著法治理想回過頭來向官僚法的方向發展而去。接踵而至的合作趨向和公有制希望又開始破壞著官僚法本身。因此，它們是在為返回到作為社會秩序的根本的、幾乎是唯一的工具的每個集團的習慣鋪平了道路。

　　這一假定的發展對於道德和政治將會產生深遠的影響。即使法治不能解決社會生活中不合法的人身依附關係問題，它也與個人自由緊密結合在一起。官僚法則建立在這一概念之上，即社會制度可由人們的精神所掌握，並根據人們的意志而加以改造。它反對把它們看做是自然界中不變的組成部分。

　　從這個角度講，法治的沒落會威脅，甚至破壞個人的自由。而拋

棄官僚法則意味著重新陷入部落文化的邏輯中，它把現存的集團秩序神聖化為一種自然的不可違抗的律令。如果，這就是改造現代社會的後果，那麼，當前具有否定意義的烏托邦就值得辯護了。否則的話，我們就會丟掉自由和超越的財富，我們就會責備自己投身進一種未加反思就接受的社會，在其中，批判的力量和造反的精神都將漸趨平和。

另一種探討現代社會未來及其法律意義的方法可用螺旋比喻代表，它可以轉變方向但並返回到原點。它意味著，個人自由能夠從法治的沒落中搶救出來，並且與重新確認的公有公社的關心協調一致。它賦與如下論斷以意義，即把每種社會生活形式看作是創造而不是命運的能力可在法律的公共性和實在性解體之後繼續存在，並與社會生活中的內在秩序的意義調和在一起。讓我們簡單地評論一下這些可能性。

法治，是自由主義社會對於權力和自由問題最明確的回答。但是，我們已經發現，無論在防止政府直接壓迫個人自由方面有什麼功效，法治主義戰略不能在工作和日常生活的基本關係中解決這些問題。無論「公共的」迫害能否繼續防止，個人的統治能否最終受到制約，一旦拋棄法治，這些問題都將部分地依賴於精製古代社會分散權力方法的可能性而定。這些方法的要點就是多元集團本身；從一個人到另一個人的個人自由，參與決策的個人自由，這種自由將形成個人所屬的每一種聯合的生命。

但是，這本身還不夠。人們還需要一些標準以便在不同的排列方式中，在合法與非法地使用權力中，在可允許的不平等與受禁止的不

平等之間做出選擇。如果缺少這些原則，自由主義社會的困境完全會再現：由於人們尋找一種他們不能發現的正義，他們將受到責備，而且，由於缺少道德基礎，一切社會安排都將受到懷疑。

　　權力問題會把我們帶入我設想的螺旋發展進程的其它方面之中。除非人們重新認識到社會實踐代表了某種自然秩序而不是任意的選擇，否則，他們就不能希望有可能擺脫不能證明的權力這個困惑的問題。但是，在現代社會的環境中，這種內在秩序的觀念又如何才能取得呢？

　　在特定的組織中僅僅存在道德共識還不能實現這個目的。首先，將需要把對不平等的破壞推進到這樣一點，從而使人們將有權更加信任集體的選擇，把它看做是共同的人類本性的一種表現，是社會秩序的內在要求，而不是統治集團利益的一種產物。第二，這是必不可少的，即日益增加的平等經驗使得人們對社會生活的內在秩序形成更廣泛的共識也有了可能，而且，這有助於進一步精製對平等含義的認識。很明顯，若沒有第二點，則第一點必是空洞無疑。但是，若沒有第一點，則第二點就是危險的，因為它威脅欲使社會中最有力和最能明確表達自己觀點的人們的觀點永恆化。

　　既使人們假定，關於內在的權利模式的觀點可以創立並得到證明，人們仍然希望瞭解它如何能夠擺脫令人窒息的批評和變革。為了保持超越現實的可能性，十分重要的是，必須經常記住，任何一種社會實踐體系的內在的不完善都是認識社會需要的一個淵源。如果人們認真對待歷史是人們自己書寫的這一觀點，那麼，社會生活的上述需要會不斷得到發展而不是靜止不動。對未來開放意味著人們必須高度

評價這一衝突的進程，通過它，社會的創造可以不受具體時代的限制，社會之間也可以建立同任何社會團體內部的凝聚力一樣的令人滿意的關係。

內在秩序與超驗批判的這種調和會暗示用在某種意義上被稱為習慣的東西而不是我們現在能夠理解的官僚法或法治實現一種更大規模的取代。這種習慣法令具有許多習慣的標記：它缺乏實在性和公共性的特點，它基本上是自發形成的，並具有含蓄性。然而，由於它為劃分實在與應在留下了餘地，因而它會不同於習慣。它會成為一個特殊集團的很不穩定的規範性秩序而不是發展中的人類道德符號。

無論人們是接受循環論假定還是螺旋論假定，重要的是人們必須記住，從歷史上看，這三種法律類型並不是明顯分離的世界，而且相互重疊、滲透的領域。後自由主義社會的法律職業、法學教育表現出對這三種法律和法律思想的同樣的關心。這個宇宙具有一個白紙黑字的法律的外太空；這是一個法治理想得以實現，專業性的法律分析方法得以繁榮的領域。於是官僚法和官僚話語中則存在著一個內層領域，在這個層次上而言，法律是作為工具而加以運用和研究的。人們可以談論成本收益、談論幫助行政精英和職業精英以非人格化的技巧和社會福利的名義行使權力的政策科學。但是，除了法律上的形式性和官僚的工具主義之外，還有一種剛剛萌芽的公平和協作的感覺。

允諾把自由與超越和社會及內在秩序調和在一起的同一進程威脅著要用犧牲前者來取悅後者。在簡述理想國時，柏拉圖提到這樣一種社會，由於人被降低為只需要動物性的滿足，因而，人們不僅喪失了自我批評的能力也喪失了對不完善的認識。柏拉圖稱這種社會為「豬

邏之邦」。總之，本文討論的歷史趨向的意義在於：提供一個用豬邏
之邦的遠景驚嚇自己的簡單手勢，同時又用天使之邦的未來引誘人
們。通過給我們提供了極端的善和惡的形象，啟示我們認識什麼是人
性中的獸性和崇高因素。

（節選自〔美〕昂格爾著，吳玉章、周漢華譯《現代社會中的法律》，

中國政法大學出版社 1994 年版）

編選說明 ●●●

　　昂格爾（1949─），出生於巴西，在美國留學期間以敏銳的洞察
力和淵博的學識而引人注目，28 歲便當上了哈佛大學法學院的教授。

　　《現代社會中的法律》是美國著名法學家昂格爾的代表作，它從
歷史的演變和現代社會的轉折兩個層次上透視法律秩序和法學理論的
本質，以極其明快的語言闡述了法在複雜社會中的地位，並為東西方
法律體系的研究提供了方法論的基礎。在該書中，昂格爾在對古典自
由主義社會內在矛盾進行深刻分析和批判的基礎上，提出了「超級自
由主義」的共同體導向的社會模式，成為自 1976 年以來影響日隆的
批判法學運動的原動力之一。

埃里克森

無需法律的秩序

非正式的社會控制

　　基於在夏斯塔縣的發現，本書第二編尋求提出一種關於非正式規範的理論。第七章將這些非正式控制置於具體的語境，把整個社會控制系統分解成五個主要的次系統：自我實施的個人倫理、雙方合約、非正式實施的規範、組織機構的控制以及法律。實際上，這些次系統經常並非完全不同。混合體系很常見，而在這種體系下一個控制者實施的是另一控制者的規則：例如當某個個體將其所在的社會的規範內化並自我實施這些規則的時候，就是一種混合體系在起作用。

　　此外，一個控制者的規則經常回饋回來影響另一控制者的規則。規範的創新也許最終會影響法律的內容，或者情況相反。目前幾乎無人理解這些回饋的回路。然而，有一點是清楚的，即法律影響規範的路線並不足以使規範在所有情況下都一成不變地向法律彙聚。特別是當法律制定者試圖規制日常事務時，他們可能不僅不能以法律直接影響行為，而且不能間接地通過影響相關規範的內容來影響行為。在夏斯塔縣，法律規定一個地區為開放（或封閉）區域，這對居民如何解決牲畜越界或離散牲畜糾紛並沒有什麼外顯的效果。農場主科文・奧哈拉賠償了鄰人損失的玉米，只是因為他「感到有責任」，而他說這

種感覺不會受正式的侵越法影響。甚至夏斯塔縣的保險清算人在處理侵越損害主張時，也幾乎完全不注意開放區域和封閉區域的法律區別。即使有少數業主事實上知道加州有一個制定法處理邊界柵欄費用分擔問題，他們也不把該法當作權利的淵源。總而言之，生活的某些領域似乎完全超出了法律的管轄。

　　這一理論的中心部分是這樣一個假說：一個關係緊密之群體的成員為了把他們日常互動管起來，他們一般會開發出一些非正式的規範，其內容是為了使該群體成員之客觀福利得以最大化。這一假說認為，人們經常選擇非正式習慣而不是選擇法律，並不僅僅是因為習慣一般說來管理費用更低，而且因為這些習慣規則的實體內容更可能是福利最大化的。

　　如果這一福利最大化規範的假說得以驗證，它就具有一些規範性意蘊。最基本的一點就是，當效用是最高考慮因素時，對解決一個群體之內發生的日常糾紛感興趣的法律制定者不可能改進該群體的習慣規則。在這種情況下，一個法律體系的比較恰當的做法是依從一個群體的非正式做法。這一結論支持了──比如說──普通法法官普遍具有的衝動，即重視習慣，它也支持了卡爾‧盧埃林將商業習慣納入《統一商法典》的努力。

非正式控制的局限

　　無論是從實證的視角不是從規範的視角，規範都有其局限，而法律則有其地位。在夏斯塔縣，法律規則通常影響解決高速公路上因車畜相撞而發生的糾紛。考察這類相撞糾紛的解決有助於確認各個變

數，這些變數決定了在什麼時候法律是重要的。正如先前的一些調查者在其它地方發現的，當糾紛人之間的社會距離加大時，當所涉及的利益總量增加時，以及當法律體系為糾紛人提供了協力廠商承擔費用（externalize costs）的機會時，糾紛人就愈益可能轉身法律規則。

　　從一種規範的立場來看，情願通過法律而不通過規範來解決某些糾紛，這也許有一些不錯的理由。首先，這個福利最大化規範的假說沒有根據指望這些規範服務於某些目的——例如校正正義或分配正義的目的，而政策決定者也許會認為這些目的是相關的，甚至認為是最高的。其次，由於沒有什麼理由認為該群體的規範制定過程會考慮該群體以外的人們的利益，因此一個法律體系完全可以拒絕尊重該群體對待外來者的習慣做法。第三，這一假說是一個僅僅與日常規範之內容有關的實證性命題；它並未對有關某社會的基本權利的性質作出任何預測。

以法律來強化非正式控制

　　唐納德・布萊克曾提出一個實證性論題，「法律與其它社會控製成反比變化」。在他看來，國家重要性的上陞是晚近之事，是因為立法者要努力填補由於家庭、宗族和村落之衰落而造成的空缺而發生的。目前許多動向，諸如日益城市化、責任風險之擴大以及福利國家的出現，正繼續削弱著這種非正式控制的體系，並正擴大著法律的領地。

　　值得強調的是，一些法律政策本身就影響著非正式社會控制系統的活力。要想不用法律而成就秩序，人們必須具有持續的關係，有關

昔日行為的可靠信息以及有效的抵抗力量。用博弈論的術語來說，社會結構的一些基本變數是，一局博弈所涉及的博弈人數，目前的博弈者預期再次相遇的博弈局數，博弈者預期這些博弈將發生的時間跨度，博弈者擁有的信息之品質以及博弈者之間的權力分佈。法律規則可以影響所有這些社會結構的特點，並因此可以促進──或阻礙──非正式的合作。

　　一些根本性的法律（foundational laws）也可以延長一個人對時間跨度的理解，包括他死後的時期，而在這些時間段中其它人將同他或他的財產發生關係。例如，擁有用益權利益（即只要某人使用土地，他就一直擁有該土地）的鄰居關係同擁有終生財產權（即直到死亡，一直擁有）的鄰居關係相比，前一種關係就不那麼永久。其它法律規則可以把一個博弈者理解的博弈時間段進一步延伸到他個人死亡之外。法律授權親屬繼承、依據遺囑處置財產以及永久享有土地利益（世襲不動產權益），所有這些法律都促使生者在做出資產安排時就好象生活的博弈將永無盡頭一樣。通過誘使博弈者採納長期計劃，這些規則都有助於為未來的子孫後代節省資源。

　　法律規則還影響人們獲得非正式社會控制所必須之信息的難易。例如，在資料處理上的晚近發展使人們更容易存儲和提取可信的，公開記錄有關某人先前不合作的信息。當然，電腦化的資料庫也提出了一些非常麻煩的風險，有關這一主題的法律評論文章已有強調。儘管如此，就如同一個有關無所不在且無所不能的神的可信性可能震懾罪孽一樣，改善有關名譽的精確信息的流通也可以震懾那種不講信用的機會主義。因此，電腦時代的到來創造了這樣一種可能性，即非正式

控制體系將從法律體系那裏重新收回某些地域。法律制定者在考慮對收集和傳播真實的，可公開獲得的有關昔日行為的信息施加新的規制性負擔時，應當牢記這一點。

最後，那些服務於更廣泛更平等地分配權力的法律有可能支撐非正式的控制體系。例如，當法律制定者在諸如主房主房客以及夫妻之間的關係內部成功平權之際，他們也使涉入這些關係的人更容易非正式地解決問題。相反，法律制定者應當避免這樣一些措施，比方說，限定房租立法以及把妻子當作丈夫之從屬的法律教義；這些法律削弱了權力的對稱性，並且可以預料，會使這些關係變得更難處理。

這最後一點可以概括為：法律制定者如果對那些促進非正式合作的社會條件缺乏眼力，他們就可能造就一個法律更多但秩序更少的世界。

（節選自〔美〕羅伯特·C担埃里克森著，蘇力譯《無需法律的秩序》，中國政法大學出版社 2003 年版）

編選説明 ● ● ●

羅伯特·C担埃里克森（Robert. C. Ellickson），耶魯法學院房地產與城市規劃法方面的教授，美國法學與經濟學協會主席。其主要著作有：《家庭：壁爐邊的日常秩序》、《無法的秩序：鄰里糾紛解決機制》、《土地使用的控制》（與 Vicki L. Been 合著）、《對不動產法的思考》（與 Carol M. Rose 和 Bruce A. Ackerman 合著）等。

　　本書在深入的社會調查的基礎上，運用法律經濟學、法律社會學和博弈論的方法分析了在結構緊密的社區人們是如何無需法律而實現對其成員相互之間有利的互動的。在他看來，「在許多情況下，法律並非保持社會秩序之核心」。同時，他還對人類究竟應當創造一種什麼樣的法律有著自己的見解。

費孝通

無訟

　　在都市社會中一個人不明白法律，要去請教別人，並不是件可恥之事。事實上，普通人在都市里居住，求生活，很難知道有關生活、職業的種種法律。法律成了專門知識。不知道法律的人卻又不能在法律之外生活。在有秩序的都市社會中，在法律之外生活就會搞亂社會的共同安全，於是這種人不能不有個顧問了。律師地位的重要從此獲得。

　　但是在鄉土社會的禮治秩序中做人，如果不知道「禮」，就成了撒野，沒有規矩，簡直是個道德問題，不是個好人。一個負責地方秩序的父母官，維持禮治秩序的理想手段是教化，而不是折獄。如果有非打官司不可，那必然是因為有人破壞了傳統的規矩。

　　所謂禮治就是對傳統規則的服膺。生活各方面，人和人的關係，都有著一定的規則。行為者對於這些規則從小就熟習，不問理由而認為是當然的。長期的教育已把外在的規則化成了內在的習慣。維持禮俗的力量不在身外的權力，而是在身內的良心。所以這種秩序注意修身，注重克己。理想的禮治是每個人都自動地守規矩，不必有外在的監督。但是理想的禮治秩序並不常有的。一個人可以為了自私的動機，偷偷地越出規矩。這種人在這種秩序裏是敗類無疑。每個人知禮是責任，社會假定每個人是知禮的，至少社會有責任要使每個人知

禮。所以「子不教」成了「父之過」。這也是鄉土社會中通行「連坐」的根據。兒子做了壞事情，父親得受刑罰，甚至教師也不能辭其咎。教得認真，子弟不會有壞的行為。打官司也成了一種可羞之事，表示教化不夠。

在鄉村裏所謂調解，其實是一種教育過程。我曾在鄉下參加過這類調解的集會。我之被邀，在鄉民看來是極自然的，因為我是在學校裏教書的，讀書知禮，是權威。其它負有調解責任的是一鄉的長老。最有意思的是保長從不發言，因為他在鄉裏並沒有社會地位，他只是個幹事。調解是個新名詞，舊名詞是評理。差不多每次都由一位很會說話的鄉紳開口。他的公式總是把那被調解的雙方都罵一頓：「這簡直是丟我們村子裏臉的事！你們還不認了錯，回家去。」接著教訓了一番。有時竟拍起桌子來發一陣脾氣。他依著他認為「應當」的告訴他們。這一陣卻極有效，雙方時常就「和解」了，有時還得罰他們請一次客。我那時常覺得像是在球場旁看裁判官吹哨子，罰球。

現代都市社會中講個人權利，權利是不能侵犯的。國家保護這些權利，所以定下了許多法律。一個法官並不考慮道德問題、倫理觀念，他並不在教化人。刑罰的用意已經不復「以儆效尤」，而是在保護個人的權利和社會的安全。尤其在民法範圍裏，他並不是在分辨是非，而是在釐定權利。在英美以判例為基礎的法律制度下，很多時間訴訟的目的是在獲得以後可以遵守的規則。一個變動中的社會，所有的規則是不能不變動的。環境改變了，相互權利不能不跟著改變。事實上並沒有兩個案子的環境完全相同，所以各人的權利應當怎樣釐定，時常成為問題，因之構成訴訟。以獲取可以遵守的判例，所謂

Test case。在這種情形裏自然不發生道德問題了。

　　現代的社會中並不把法律看成一種固定的規則了，法律一定得隨著時間而改變其內容。也因之，並不能盼望各個在社會裏生活的人都能熟悉這與時俱新的法律，所以不知道法律並不成為「敗類」。律師也成了現代社會中不可缺的職業。

　　中國正處在從鄉土社會蛻變的過程中，原有對訴訟的觀念還是很堅固地存留在廣大的民間，也因之使現代的司法不能徹底推行。

　　有一位兼司法官的縣長曾和我談到過很多這種例子。有個人因妻子偷了漢子打傷了姦夫。在鄉間這是理直氣壯的。但是和姦沒有罪，何況又沒有證據，毆傷卻有罪。那位縣長問我，他怎麼判好呢？他更明白，如果是善良的鄉下人，自己知道做了壞事決不會到衙門裏來的。這些憑藉一點法律知識的敗類，卻會在鄉間為非作惡起來，法律還要去保護他，我也承認這是很可能發生的事實。現行的司法制度在鄉間發生了很特殊的副作用，它破壞了原有的禮治秩序，但並不能有效地建立起法治秩序。法治秩序的建立不能單靠制定若干法律條文和設立若干法庭，重要的還得看人民怎樣去應用這些設備。更進一步，在社會結構和思想觀念上還得先有一番改革。如果在這些方面不加以改革，單把法律和法庭推行下鄉，結果法治秩序的好處未得，而破壞禮治秩序的弊病卻已先發生了。

　　（節選自費孝通著：《鄉土中國》，北京大學出版社 1998 年版）

編選說明 ●●●

　　費孝通（1910—2005），江蘇吳江人，原全國人大常委會副委員長，我國著名的社會學家、人類學家、民族學家和社會活動家。

　　費孝通先生的《鄉土中國》是一本運用社會學和文化人類學的比較研究方法分析中國傳統基層社會的著作，其目的是為了回答「作為中國基層社會的鄉土社會究竟是個什麼樣的社會」這個問題。在這本書中，作者從宏觀的角度審視整個社會，分析社會的整體架構，從多個層面對傳統基層社會做了深入的剖析，提出了一系列具有啟發性的概念和範疇，並從功能主義的視角出發闡釋了這些現象產生的原因和現實的功能，為我們理解整個中國傳統社會的結構和秩序提供了重要的理論資源。

瞿同祖

儒家思想與法家思想

第一節　禮與法

儒家法家都以維持社會秩序為目的，其分別只在他們對於社會秩序的看法和達到這種理想的方法。

儒家根本不論社會是整齊平一的。認為人有智愚賢不肖之分，社會應該有分工，應該有貴賤上下的分野。勞力的農、工、商是以技術生產事上的，勞心的士大夫是以治世之術治理人民食於人的，各有其責任及工作，形成優越及從屬關係的對立。一切享受（欲望的滿足）與社會地位成正比例也是天經地義。

「物之不齊，物之情也」，儒家認為這種差異性的分配，「斬而齊，枉而順，不同而一，」才是公平的秩序。無賤無貴，生活方式相同，維齊非齊，強不齊為齊，反不合理，而破壞社會分工，違反社會秩序了。

然而如何使貴賤、尊卑、長幼各有其特點的行為規劃自是最初要的實際問題。禮便是維持這種社會差異的工具。禮的內容有多寡豐陋繁簡以及儀式上的種種差異，「名位不同，禮亦異數」，借禮的不同內容便足以顯示行為人的特殊名位，因而加重貴賤、尊卑、長幼之別。所以禮的正確含義為「異」，與樂之為「同」者不同。

　　法家並不否認也不反對貴賤、尊卑、長幼、親疏的分別及存在，但法家的興趣並不在這些與治國無關，無足輕重，甚至與治國有妨礙的事物上，他所注意的是法律、政治秩序之維持，認為國之所以治，端在賞罰，一以勸善，一以止奸。有功必賞，有過必罰，何種行為應賞，何種行為應罰，完全是一種客觀的絕對標準，不因人而異味，必須有同一的法律，一賞一刑，才能使人人守法，而維持公平。

　　總之，儒家著重於貴賤、尊卑、長幼、親疏之「異」，故不能不以富於差異性，內容繁雜的，因人而異的，個別的行為規範──禮──為維持社會秩序的工具，而反對歸於一的法。法家欲以同一的，單純的法律，約束全國人民，著重於「同」，故主張法治，反對因貴賤、尊卑、長幼、親疏而異其施的禮。兩家出發點不同，結論自異。禮治法治只是儒法兩家為了達到其不同的理想社會秩序所用的不同工具。

第二節　德與刑

　　儒家以禮為行為規範，與維持社會秩序的工具，已如上節所述，然則以何種力量來推行禮，使人人守禮，不違禮，如有人不遵守此種行為規範而破壞社會秩序，將以何種力量來保護它，需要制裁否，這些問題應作進一步的討論。

　　儒家認為無論人性善惡，都可以道德教化的力量，收潛移默化之功，這種以教化變化人心的方式，是心理上的改造，使人心良善，知恥而無姦邪之心，自是最徹底、最根本、最積極的辦法，斷非法律判裁所能辦到。

儒家既堅信人心的善惡是決定於教化的，同時又堅信這種教化，只是在位者一二人潛移默化之功，其人格有絕大的感召力，所以從德治主義又衍而為人治主義。所謂德治是指德化的程序而言，所謂人治則偏重於德化者本身而言，實是二而一，一而二的。他的人格為全國上下所欽仰，他的行為為全國上下所模仿，成為一種風氣，為風俗善惡之係。「君子之德風，小人之德草，草上之風必偃」，便是此理。

法家則完全與儒家立於相反的立場，否認社會可以借德化的力量來維持，更不相信一二人的力量足以轉移社會風氣，決定國家的治亂，根本反對有治人無治法，人存政存，人亡政亡的辦法。法家所需要的是必然之治，使社會長治久安，而不是這種渺茫不可期，時亂時治的辦法。

所以法治不信人治，聖君「任法而不任智」，「任法而弗躬」。雖聖人亦不能去法而治國，況為常人？法家極端反對人治，而重視客觀的工具，於是認為「法雖不善，猶愈於無法」，而任人，尤之「雖有巧目利手不如拙規矩之正方圓」。主觀的判斷，時有出入，客觀的標準至少是一律的，法雖不善，亦可以「一人心」，愈於無法。

儒家說：「先王有不忍人之心，斯有不忍人之政矣，以不忍人之心行不忍人之政，治天下可運之掌上。」法家堅決反對此種仁政，以為無異於慈母之溺愛，必致姑息養奸，縱民為惡。

所以法家的結論皆主重刑。管子雲，「行令在乎嚴罰」。商君雲，「去奸之本莫深於嚴刑」。韓非子雲，「嚴刑重罰者，民之所惡也，而國之所以治也」。他們以為刑罰太輕，其力量決不足以止奸制惡。

第三節　以禮入法

　　儒家以禮為維持社會秩序之行為規範，法家以法律為維持社會秩序之行為規範，儒家以德教為維持禮之力量，儒法之對抗，禮治、德治、法治之不兩立，已如上二節所述。從思想的同異來說，此二學派完全立於極端相反的立場本無調和之可能，但事實上並不如此，這一節便想在這方面加以討論。儒、法二家對抗的時代是在戰國及秦的時代，春秋、戰國時代原是儒、道、楊、墨、名、法各家思想學說草創形成、競爭的時代。法家後起，想和儒家爭一日之短長，競爭激烈，互不相讓。但西漢以後，這種思潮的爭辯漸趨於沉寂，儒法之爭，也就無形消失。

　　我們已經討論過漢以後儒者除以儒家著述為正宗外，已具有若干法家思想在內。我們試從儒者的思想來觀察，便可以看出這時的儒者雖仍以德治為口號，但已不再排斥法治，和以前的儒家不同，儒法兩家思想上的衝突已非絕對的，在禮治德治為主，法治為輔的原則之下，禮治、德治與法治的思想且趨於折中調和。

　　（節選自瞿同祖著：《中國法律與中國社會》，中華書局 1981 年版）

編選說明 ● ● ●

　　瞿同祖（1910—2008），湖南長沙人，中國現代著名歷史學家和法律史學家。其治學縱橫開闔，自成一家。其中，尤以中國法律社會史的研究，享譽盛名。

　　《中國法律與中國社會》是將法律與社會結合起來予以研究的一個創新嘗試。該書自 1947 年出版以來，獲得佳評如潮（含國際性的讚譽），並成為研究中國法律和中國社會的必讀書目。該書認為，「法律是社會產物，是社會規範之一」。由於法律與社會的關係極為密切，因此只有充分瞭解產生某一種法律的社會背景，才能瞭解這些法律的意義和作用。循著這條思路，書中深入探討了中國社會的家族、婚姻、階級、巫術宗教以及儒家和法家思想。最終，該書得出「中國古代法律自漢至清沒有什麼重大變化」的結論。

擴展閱讀 ● ● ●

1. 季衛東著《法治秩序的建構》，中國政法大學出版社 1999 年版。

2. 蘇力著《法治及其本土資源》，中國政法大學出版社 1996 年版。

3. 蘇力著《送法下鄉──中國基層司法制度研究》，中國政法大學出版社 2000 年版。

4. 鄭永流著《當代中國農村法律發展道路探索》，上海社會科學院出版社 1991 年版。

5. 梁治平著《尋求自然秩序中的和諧──中國傳統法律文化研究》，上海人民出版社 1991 年版。

6. 〔法〕布律爾著，許鈞譯《法律社會學》，上海人民出版社 1987 年版。

7. 〔美〕撒母耳·亨廷頓著，李盛平譯《變革社會中的政治秩序》，華夏出版社 1988 版。

8. 〔法〕孟德斯鳩著，許明龍譯《論法的精神》，商務印書館 2007 年版。

9. 〔法〕埃米爾·涂爾幹著，渠東譯《社會分工論》，三聯書店 2000 年版。

10. 〔美〕唐·布萊克著，郭星華等譯《社會學視野中的司法》，法律出版社 2002 年版。

11. 〔英〕科特威爾著，潘大松等譯《法律社會學導論》華夏出版社 1989 年版。

12. 〔日〕田中英夫、竹內昭夫著，李薇譯《私人在法實現中的作用》法律出版社 2006 年版

13. 〔美〕愛波斯坦著，劉星譯《簡約法律的力量》，中國政法大學出版社 2004 年版。

14. 〔美〕霍貝爾著，周勇譯《初民的法律》，中國社會科學出版社 1993 年版

15. 〔美〕霍姆斯著，劉思達譯《法律的道路》，載於《霍姆斯讀本：論文與公共演講選集》，上海三聯書店 2009 年版。

16. 〔美〕勞倫斯·M担弗里德曼著，李瓊英、林欣譯《 法律制度——從社會科學的角度觀察》，中國政法大學出版社 1994 年版。

17. 〔日〕川島武宜著，王志安等譯《現代化與法》，中國政法大學出版社 1994 年版。

18. 〔日〕棚瀨孝雄著，王亞新譯《糾紛的解決與審判制度》，中國政法大學出版社 2004 年版。

19. 〔德〕馬克斯·韋伯著，張乃根譯《論經濟與社會中的法律》，中國大百科全書出版社 1998 年版。

20.〔英〕卡爾·波普爾著，陸衡等譯《開放社會及其敵人》，中國社會科
　　學出版社 1999 年版。

四 ••• 法與經濟

馬克思

商品交換與平等自由

　　只要考察的是純粹形式，即關係的經濟方面——處在這一形式之外的內容在這裏其實還完全不屬於經濟學的範圍，或者說，表現為不同於經濟內容的自然內容，可以說，它仍然是同經濟關係完全分開的，因為它仍然是同經濟關係直接重合的——那麼，在我們面前出現的就只是形式上不同的三種要素：關係的主體即交換者，他們處在同一規定中；他們交換的對象，交換價值，等價物，它們不僅相等，而且必須確實相等，還要被承認為相等；最後，交換行為本身即媒介作用，通過這種媒介作用，主體才表現為交換者，相等的人，而他們的客體則表現為等價物，相等的東西。等價物是一個主體對於其它主體的對象化，這就是說，它們本身的價值相等。並且在交換行為中證明自己價值相等，同時證明彼此漠不關心。主體只有通過等價物才在交換中彼此作為價值相等的人，而且他們只是通過彼此藉以為對方而存

在的那種對象性的交換，才證明自己是價值相等的人。因為他們只有作為等價物的所有者，作為在交換中這種相互等價的證明者，才是價值相等的人，所以他們作為價值相等的人同時是彼此漠不關心的人，他們在其它方面的個人差別與他們無關，他們不關心他們在其它方面的一切個人特點。

至於說交換行為（這一交換行為不僅設定並證明交換價值，而且設定並證明作為交換者的主體）以外的〔交換過程的〕內容，那麼這個處在經濟形式規定之外的內容只能是：（1）被交換的商品的自然特性，（2）交換者的特殊的自然需要，或者把二者合起來說，被交換的商品的不同的使用價值。因此，這種使用價值，即完全處在交換的經濟規定之外的交換內容，絲毫無損於個人的社會平等，相反地卻使他們的自然差別成為他們的社會平等的基礎。

……

其次，既然個人之間以及他們的商品分之間的這種自然差別，是使這些個人結合在一起的動因，是使他們作為交換者發生他們被假定為和被證明為平等的人的那種社會關係的動因，那麼除了平等的規定以外，還要加上自由的規定。儘管個人 A 需要個人 B 的商品，但他並不是用暴力去佔有這個商品，反過來也一樣，相反地他們互相承認對方是所有者，是把自己的意志滲透到商品中去的人。因此，在這裏第一次出現了人的法律因素以及其中包含的自由的因素。誰都不用暴力佔有他人的財產。每個人都是自願地出讓財產。

但還不僅如此：只是在個人 B 用商品 b 為個人 A 的需要服務的時候，並且只是由於這一原因，個人 A 才用商品 a 為個人 B 的需要

服務。反過來也一樣。每個人為另一個人服務，目的是為自己服務；每一個人都把另一個人當作自己的手段互相利用。這兩種情況在兩個個人的意識中是這樣出現的：（1）每個人只有作為另一個人的手段才能達到自己的目的；（2）每個人只有作為自我目的（自為的存在）才能成為另一個人的手段（為他的存在）；（3）每個人是手段同時又是目的，而且只有成為手段才能達到自己的目的，只有把自己當作自我目的才能成為手段，也就是說，這個人只有為自己而存在才把自己變成為那個人而存在，而那個人只有為自己而存在才把自己變成為這個人而存在——這種相互關聯是一個必然的事實，它作為交換的自然條件是交換的前提，但是，這種相互關聯本身，對交換主體雙方中的任何一方來說，都是他們毫不關心的，只有就這種相互關聯把他的利益當作排斥他人的利益，不顧他人的利益而加以滿足這一點來說，才和他有利害關係。

換句話說，表現為全部行為的動因的共同利益，雖然被雙方承認為事實，但是這種共同利益本身不是動因，它可以說只是在自身反映的特殊利益背後，在同另一個人的個別利益相對立的個別利益背後得到實現的。就最後這一點來說，個人至多還能有這樣一種安慰感：他的同別人利益相對立的個別利益的滿足，正好就是被揚棄的對立面即一般社會利益的實現。從交換行為本身出發，個人，每一個人，都自身反映為排他的並占支配地位的（具有決定作用的）交換主體。因而這就確立了個人的完全自由：自願的交易；任何一方都不使用暴力；把自己當作手段，或者說當作提供服務的人，只不過是當作使自己成為自我目的、使自己占支配地位和主宰地位的手段；最後，是自私利

益，並沒有更高的東西要去實現；另一個人也被承認並被理解為同樣是實現其自私利益的人，因此雙方都知道，共同利益恰恰只存在於雙方，多方以及存在於各方的獨立之中，共同利益就是自私利益的交換。一般利益就是各種自私利益的一般性。

　　因此，如果說經濟形式，交換，確立了主體之間的全面平等，那麼內容，即促使人們去進行交換的個人材料和物質材料，則確立了自由。可見，平等和自由不僅在以交換價值為基礎的交換中受到尊重，而且交換價值的交換是一切平等和自由的生產的、現實的基礎。作為純粹觀念，平等和自由僅僅是交換價值的交換的一種理想化的表現；作為在法律的、政治的、社會的關係上發展了的東西，平等和自由不過是另一次方的這種基礎而已。而這種情況也已為歷史所證實。

（節選自馬克思著，中共中央馬克思恩格斯列寧斯大林著作編譯局譯《政治經濟學手稿（1857—1858）》，載《馬克思恩格斯全集》第46卷，人民出版社 1956 年版）

編選說明 ● ● ●

　　《政治經濟學手稿（1857—1858）》是《經濟學手稿（1857—1858 年）草稿》的主要內容，它通常被稱為《資本論》的第一個草稿。《經濟學手稿（1857—1858 年）草稿》在馬克思的政治經濟學的形成史上佔有非常重要的地位，標誌著馬克思政治經濟學理論體系的建立。本文闡述了歷史唯物主義法學的核心觀點。馬克思認為，「無

論是政治的立法或市民的立法，都只是表明和記載經濟關係的要求而已」，而近代資本主義確立的平等、自由的權利觀，實質上是對商品經濟關係意志的反映。所以馬克思指出，「作為純粹觀念，平等和自由僅僅是交換價值的交換的一種理想化的表現；作為在法律的、政治的、社會的關係上發展了的東西，平等和自由不過是另一次方的這種基礎而已」。

哈耶克

●　●　●

經濟政策與法治

　　古典學派主張經濟事務的自由，所依據的乃是這樣一個基本的假定，即與所有其它領域中的政策一樣，經濟領域中的政策也應當由法治支配。如果我們不根據此一理論背景來認識這個問題，我們就無法洞見亞當・斯密或約翰・穆勒這些學者反對政府「干預」的本質之所在。因此之故，那些並不熟知上述關於法治支配經濟政策的基本觀念的人，在過去就常常誤解他們的立場；而且當英美的諸多論者不再將法治觀念作為理解這個問題之前設的時候，對這個問題的理解在那裏也發生了各種各樣的混淆。經濟活動的自由，原本意指法治下的自由，而不是說完全不要政府的行動。古典學派在原則上反對的政府「干涉」或「干預」（interference or intervention），因此仍僅指那種對一般性法律規則所旨在保護的私域的侵犯。他們所主張的並不是政府永遠不得考慮或不得關注經濟問題。但是，他們確實認為某些政府措施應當在原則上予以否棄，而且也不得根據某些權宜性的考慮而將它們正當化。

　　在亞當・斯密及其當年的追隨者看來，實施普通法的一般性規則，當然不能被視作是政府所實施的干預；而且一般而論，只要立法機構修改某些規則或頒佈一項新規則的目的，是使這些規則在一不確定的期限內平等地適用於所有的人，他們也同樣不會認為這種做法就

是政府的干預。儘管他們可能從未對此做過明確的表述，但是干預對於他們來說卻實在是指政府對強制性權力的實施，而且其實施的目的亦不在於確保一般性法律的執行，而是旨在實現某種特殊的目的。然而，重要的判斷標準並非政府所追求的目的，而是它所運用的手段。只要政府所力圖實現的是人民所明顯欲求的目的，古典學派可能根本就不會視其為非法；但是，他們明確反對政府採取特殊命令或禁令的手段，並認為這乃是自由社會所不能容忍者。他們認為，只有通過間接的方式，亦即通過剝奪政府的某些手段的方式，方能剝奪政府實現某些目的所仰賴的權力，因為僅依賴這些手段政府便能實現這些目的。

……

一切數量控制和價格管制的措施之所以與自由制度不相容合，嚴格來講，主要有兩個原因：一是所有這些控制措施都必定是武斷的，二是這些措施不可能以一種使市場充分發揮作用的方式加以實施。自由制度能夠適應於幾乎任何基本依據的變化，大體上也能適應於各種一般性禁令或條例規章，但這必須以這種制度的調適機制本身能維持其功效為前提條件。然而，從很大程度上來講，正是價格的變化，導致了必要的調適。這就意味著，為使自由市場制度發揮恰當的作用，僅僅要求此一制度的運行所依據的法律規則為一般性規則，顯然是不充分的，因此還必須要求這些規則的內容能夠使市場在寬容的條件下得以良性運行。主張自由制度的理由，並不在於任何制度在強制為一般性規則所限定的場合下都能夠令人滿意地運行，而是認為在自由制度下，一般性規則能獲致一種使自由制度有效運行的形式。如果欲使

不盡相同的活動在市場上達到有效的調適，那麼就必須滿足一些最低
限度的要求；其間較為重要的要求是，一如我們在生活中所見，對暴
力與欺詐的防止，對財產權的保護以及對契約的踐履，並承認任何個
人都享有根據他自己所確定的產品數量進行生產和根據他自己所確定
的價格進行銷售的平等權利。甚至當這些基本條件得到滿足之時，自
由市場制度是否就能有效地運行，還將取決於一般性規則的具體內
容。但是，如果這些基本條件得不到滿足，那麼政府將不得不通過頒
佈直接的命令，去實現原本由價格運動所指導的個人決策所可能達到
的目的，但這種做法的結果卻不敢想像。

　　法律秩序的性質與市場制度的功效之間的關係，相對而言，尚未
得到應有的研究，而此一題域中僅有的一些研究，主要也是由那些對
競爭秩序持批判態度的論者做出的，而不是由此一秩序的支持者做出
的。這是因為這些支持者通常都滿足於陳述我們在上文所述的市場
得以發揮功效的最低限度的條件。然而需要指出的是，對這些條件
的一般性陳述，所引發的問題並不少於它所給出的答案。市場的功
效能發揮到什麼程度，取決於具體規則的性質。決意以自願性契約
（voluntary contracts）為調整或組織個人間關係的主要工具，並不能決
定契約法的具體內容應當為何；同樣，為了使市場機制盡可能有效且
有助益地發揮其功能，我們就必須承認私有財產權，但僅此也不能決
定這種權利的具體內容應當為何。儘管就動產而言，私有財產權原則
所引發的問題相對較少，但在地產權方面，它卻的確造成了許多極為
棘手的問題。由於任一塊土地的使用常常都會對鄰近土地產生影響，
因此給予土地所有者無限的權力以按其所願使用或濫用其財產，顯然

是不可欲的。

（節選自〔奧〕弗里德里希・馮・哈耶克著，鄧正來譯《自由秩序原理・上》，三聯書店 1997 年版）

編選說明 ● ● ●

弗里德里希・馮・哈耶克（Friedrich von Hayek，1899—1992），奧地利裔英國經濟學家，新自由主義的代表人物，1974 年獲諾貝爾經濟學獎，他對於法學也有相當重要的貢獻。主要著作有：《貨幣理論和商業迴圈》、《自由秩序原理》。

《自由秩序原理》是哈耶克的代表作之一，他認為，市場是一種經濟行為者通過自願交易產生的一種自生自發秩序，競爭和法治是市場經濟的兩大特徵。在本文中，哈耶克認為自斯密以來，經濟活動自由就是法治下的自由，而不是說完全不要政府，反對的只是政府的強制干預，例如，反對國家的一切數量控制和價格管制，因為這些控制妨礙了市場充分發揮作用。因此，法治就是那一些保障市場機制有效運行的一般性規則，如防止暴力和欺詐、保障私有財產權、保障生產和交易的自由和平等。

科斯

●　●　●

產權、市場與法律

　　政府進行無線電業管制的主要理由是防止干擾。很明顯，如果在給定的頻率由幾個人同時發射信號，這些信號就會互相干擾，使接收任何人的信息都非常困難，或者根本無法接收。在一塊土地上同時種小麥和用作停車場也會產生相同結果。正如我們在前文所說的那樣，建立土地產權（即獨用權）就可以避免這類情況。在頻率使用上建立同樣的產權就能使無線電業以同樣的方法解決這一問題。

　　在不損害別人的情況下（不包括非該資源用戶），建立資源使用權的優點是容易被人理解的。然而當這種行為直接侵害別人的利益時，情況就不同了，例如一個無線電經營者使用的頻率干擾鄰近頻率時，就是如此。

　　讓我們以「斯特吉斯訴布里奇曼案」的例子開始我們對這種情景的分析，該例揭示了問題的基本情況。一個製糖商已經在一處房屋裏營業多年，一個醫生搬來住在隔壁的前 8 年間，製糖商的製糖機的工作並沒有給醫生帶來損害。後來，醫生在花園盡頭建起一個診所，正好緊靠糖廠，機器的雜訊與震動干擾了醫生的工作。因此醫生向法院提出申訴並成功地使製糖商停用該機器。事實上，法院必須決定的是醫生是否有權強迫製糖商安裝新機器或把機器挪個地方，或者製糖商是否有權強迫醫生在他的房產範圍內另擇診所地址或遷往別處。這一

例子說明不直接損害別人而使用一種資源的權利與以直接損害別人的方式進行經營的權利在分析上沒有什麼區別。在這兩種情況中，都有不允許別人做的事；一種是不許使用某種資源，另一種是不許使用某種經營方式。這一例子也說明了這一關係中往往被追隨庇古的經濟學家所忽視的相反性質，他們習慣用私人產品與社會產品的不同來分析問題，沒有搞清楚制止 A 對 B 的損害不可避免地會損害 A 本身。問題在於避免較嚴重的損害。「斯特吉斯訴布里奇曼案」已將這個問題提得很請楚：如果醫生所抱怨的不是雜訊與震動而是煙塵污染的活，情況並沒有什麼本質不同。

　　一旦建立了當事人的法律權利，談判就能夠改變法律規則程序，只要有跡象表明在談判中所花費的費用有益於問題的解決。如果製糖商願意支付給醫生一筆大於診所遷址的費用（我們假定是 200 美元），醫生就可能會放棄他的訴訟權；製糖商也許願意支付比法院判決少的費用讓醫生放棄他的權利（我們假定是 100 美元）。根據上述數位，少於 200 美元醫生不接受，多於 100 美元製糖商不願付，這樣醫生就不會放棄他的權利。但是如果這一事件中製糖商處於主動地位（他也有勝訴可能），只要製糖商能獲得多於 100 美元的費用，他就會願意放棄他的權利而醫生可能願意支付略少於 200 美元的費用以換取製糖商的妥協。在這種情況下就有可能透過討價還價讓製糖商放棄他的權利。從這一假設例子可以看出，權利的界限是市場交易的基本前提，但是最終結果（促進生產價值最大化）則取決於法律判決的獨立性。

　　就無線電業來說，這一分析表明經營者之間在同一頻率上的干擾

與在鄰近頻率上的干擾沒有本質區別。這一問題可供以前那樣，通過限定發射信號經營者干擾或可能干擾其它信號的許可權來解決。這以後，權利的最佳運用可以讓市場交易解決。有人會認為無線電業管制的目標應該是把干擾減少到最小，但這種認識是錯誤的，目標應該是使產出最大化。所有的財產權都會干擾人們利用資源的能力，必須保證的是從干擾中所獲得的收益應大於所產生的危害。沒有理由認為最佳狀況就是無干擾狀況。一般說來，與一電臺的距離越遠，接收它的信號就越困難。處於某些地點的人們會認為不值得為接收這一電臺信號而破費，而接收一個使用同一頻率的本地電臺可能更容易。但是如果這個電臺與前一電臺同時工作，那麼位在介於這兩個電臺之間某些中間地區的人則可能兩個信號都不能接收。如果其中一個電臺停止播音，干擾就會消失，人們的感覺也會好得多，但這時住在另一電臺鄰近地區的人又會遭殃。現在還不清楚是否沒有干擾的解決辦法就一定更好些。

　　有人認為在某些環境下成本約束可能會導致干擾最少。流動電臺就是這種情形：

　　金錢懲罰是防止陸上流動通訊系統設計擅自超容量標準的有效力量。車載通訊是一種商業工具，像其它工具一樣，能力過度會使投資的收益受損。經驗告訴我們，持陸上流動電臺執照者並不願意購買覆蓋率明顯超過自己需要的設備。這就能有效地把鄰區同波長的干擾降到最低。

　　但是只依靠成本約束並不總是能帶來這種滿意的結果。鄰近頻率之間干擾的減少可能要花錢改善設備，如果鄰近頻率的經營權尚未明

確，就很難指望一個頻率的使用者為他人的利益而花費這類成本。私有財產製加上價格體系將會解決這些衝突。如果信號受到干擾的臺主有權制止干擾，那麼只要他獲得的收入多於干擾使他的服務降低的價值，或者大於他為抵消干擾而支付的費用，他就會願意放棄這種權利。為了使干擾得到允許，另一臺主會願意支付不高於停止干擾所花成本的費用，或者不高於因不能以干擾別人的方式使用他的發射機所造成的服務價值損失的費用。同樣，如果該臺主有權製造干擾，只要他收到的多於制止干擾的成本或因干擾被禁止而蒙受的服務價值損失，他就願意放棄這一權利。信號受到干擾的臺主為使干擾停止而願意支付不高於干擾所造成的服務價值損失或為消除干擾所花費的成本的費用。無論用哪一種方法，結果都是一樣的。這就是製糖商的雜訊與震動問題的再現。

（節選自〔英〕科斯著，盛洪、陳鬱等譯《企業、市場與法律》，上海三聯書店 1991 年版）

編選說明 ● ● ●

羅奈爾得·科斯（Ronald Coase，1910—），英國經濟學家，新制度經濟學的鼻祖，產權經濟學的開創者，1991 年諾貝爾經濟學獎的獲得者。其代表作為《企業的性質》和《社會成本問題》。

本文出自科斯 1995 年的《聯邦通訊委員會》一文。該文以無線電頻率管制為例，對產權進行了經濟分析。他認為，競爭機制失靈不

是因為資源的稀缺性而是因為沒有對資源清晰地界定產權，如果政府以行政管製取代價格機制干預資源配置，那麼結果很可能適得其反。因此，法律的主要目標之一就是清晰界定產權，產權加上市場價格機制將會有效解決諸如無線電頻率爭奪混亂的資源配置問題。只有在市場運行的成本大於政府管制的成本之時或者市場無法解決之時，政府才可以通過法律管制經濟。

羅爾斯

分配正義的背景制度

......

在建立（分配正義的）這些背景制度時，可以設想政府被分為四個部門。每個部門由負責維繫某些社會和經濟條件的機構及其活動所組成。這些劃分不等於政府的通常組織機構劃分，而應被理解為政府機構的不同功能。例如，配給部門是要價格體系的有效競爭性，並防止不合理的市場權力的形成。只要市場不可能在與效率要求、地理事實及家庭偏愛一致的情況下被賦予更大的競爭性，這種權力就不會存在。配給部門也負責通過適當的稅收和補貼，以及對所有權規定的更改來鑒別和更正較明顯的低效率，這種低效率起因於價格不能精確地調整社會的利益和成本。為完成這個任務，政府可能使用適當的稅收和補貼，或者修改所有權的範圍和規定。另一方面，穩定部門努力實現合理充分的就業，使想工作者均能找到工作，使職業的自由選擇和財政調度得到強有力的有效需求的支持。這兩個部門一起維持一般市場經濟的效率。

確定最低受惠值是轉讓部門責任。……這裏的基本觀念是：這個部門的活動把需求考慮進來，並通過與其它要求的比較賦予這些需求以一種適當的重要性。一個競爭的價格體系不考慮任何需求，因此它不可能是分配的惟一手段。在社會體系各部門之間必須有一種勞動分

工來滿足正義的常識性準則的要求。不同的機構處理不同的要求。適當調節的競爭市場保證職業的自由選擇，並導致資源的有效使用和對家庭商品的配給，它們賦予一些與工資和收入相關的傳統準則以一種重要性，而轉讓部門則確保一定的福利水準，並高度重視需求的權利。最終，我將討論這些常識性準則及其在不同的制度背景下的形成。這裏相關的一點是：某些準則傾向於和某些特定的制度有聯繫。我們把這些準則怎樣取得平衡的問題留給總的背景制度來確定。既然兩個正義原則調節了整個結構，那麼它們也調節準則之間的平衡。於是，一般來說，這種平衡將隨著基本的政治觀而變化。

分配份額的正義顯然依賴於背景制度，以及這些制度分配總收入、工資和別的收入加轉讓部分的方式。我們有理由強烈反對由競爭來決定總收入的分配，因為這樣做忽視了需求的權利和一種適當的生活標準。從立法階段的觀點來看，確保我們和下一代免受市場偶然性的損害是合理的。確實，差別原則大概要求這一點。但是，一旦轉讓提供了一個適當的最低受惠值，那麼，如果由價格體系來決定總收入的其餘部分的後果是溫和的、不受壟斷的限制且排除了不合理的外差因素，這種決定也許就是完全公平的。此外，這種處理需求的方式看上去比那種試圖由最小工資標準等來調節收入的方式更有效。最好的辦法是僅僅把那些彼此相協調的任務分配給每個部門。既然市場不適合解決需求的問題，那麼這些問題就應該由另一個安排來解決。於是，兩個正義原則是否被滿足的問題，便依賴於最少得益者的總收入（工資加轉讓的收入）是否可用來最大限度地滿足他們的（與平等的自由和公正的機會均等的約束相一致的）長期期望。

　　最後一個部門是分配部門，其任務是通過稅收和對財產權的必要調整來維持分配份額的一種恰當正義。我們也許需要區分這個部門的兩個方面。首先，它徵收一系列遺產稅和饋贈稅，並對遺產權進行限制。這些徵稅和調節的目的不是要提高財政收入（把資金讓與政府），而是逐漸地、持續地糾正財富分配中的錯誤並避免有害於政治自由的公平價值和機會公正平等的權力集中。例如，在受益人這邊，累進稅原則可能被運用。這樣做將鼓勵財產的廣泛分散；如果要維持平等自由的公平價值，這種分散看來是一個必需的條件。……分配部門的第二方面是一個用來提高正義所要求的財政收入的稅收體系。社會資源必須讓與政府，這樣政府可為公正利益提供資金，並支付滿足差別原則所必需的轉讓款目。這個問題屬於分配部門，因為稅收負擔要被公平地承擔，並旨在建立正義的安排。我先把許多複雜問題擱置一邊，因為我們有必要注意到：一種按比例的支出稅可能是最佳徵稅方案的一部分。首先，按照正義的常識性準則，它比（任何各類的）一種所得稅更為可取；因為這種徵稅是一個人從物品的共同貯存中拿出多少，而非按照他的貢獻多少而定的（這裏假設收入是公平地掙到的）。再者，對比方說一年的總消費的比例稅可能包括對受贍養者的通常的免稅；它以一種統一的方式對待每個人（仍然假設收入一定是公平掙到的）。因此，只有當累進稅率對於保持與第一個正義原則和機會公正平等有關的社會基本結構正義，並阻止那種可能顛覆相應制度的財產和權力的集中來說是必需的時候，使用累進稅率才可能較好。遵循這個規則可能有助於指明政策問題中的重要區別。而且，如果比例稅也被證明是較有效的，比方說因為它們較不妨礙對人們的

鼓勵；並且，如果能夠制定一個可行方案的話，那麼，這就可能為比
例稅提供一個決定性的例證。正如前面所指出的，這是政治判斷的問
題，而不是正義論的一個部分。

（節選自〔美〕羅爾斯著，何懷宏等譯《正義論》，中國社會科學出
版社 1988 年版）

編選說明 ● ● ●

　　約翰・博多利・羅爾斯(John Bordley Rawls，1921—2002)，美國
政治哲學家、倫理學家，新自然法學派的主要代表。作品主要有《正
義論》、《政治自由主義》。

　　《正義論》被視為第二次世界大戰後西方政治哲學、法學和道德
哲學中最重要的著作之一。羅爾斯認為，一個良好的社會必然受下列
正義原則所規制：平等的自由原則，機會公平以及差異原則，差異原
則意味著社會和經濟的不平等安排應最有利於弱勢群體。他認為，實
現這種正義社會的制度條件為：首先，整個社會由正義憲法和法律來
調節；其次，政府執行保障市場公平和分配公正的功能：配給部門維
護市場機制有效運行的部門，穩定部門努力實現合理充分就業，轉讓
部門確定民眾最低受惠值以確保一定的福利水準，分配部門通過稅收
和對財產權的必要調整來維持。

薩繆爾森

市場失靈、政府管制與法治

　　19 世紀的美國，十分接近於自由放任的社會。這一純粹的自由放任制度曾被英國歷史學家卡萊爾稱為「無政府主義加員警」。這種哲學為人們追求和實現其經濟抱負提供了極大的自由，推動了一個世紀以來物質財富的迅速增長。但批評家看到了這種自由放任理想的許多缺陷。歷史學家記錄了周期性的經濟危機、極端的貧困和不平等、根深蒂固的種族歧視以及污染所造成的水源、土地和空氣的惡化。仗義執言的記者和進步運動的鬥士疾呼要給資本主義的野馬套上韁繩，以便人們可以更好地牽引它沿著人性的方向前進。

　　從 19 世紀 90 年代開始，美國逐漸偏離了「管制最少的政府是統治最好的政府」的教條。希歐多爾・羅斯福、伍德羅・威爾遜、佛蘭克林・羅斯福以及林登・詹森等幾位總統，都擴大了聯邦政府對經濟的控制，儘管他們面對著強烈的反對。他們曾設計過許多新的管制手段和財政工具，與當時的經濟病魔進行鬥爭。

　　憲法賦予政府的許可權被做了寬泛的解釋，以便用來「保證公共利益」和「督查」經濟體系。1887 年，美國政府設立了聯邦州際商業委員會（ICC），以管理跨州的鐵路運輸。接著又制定和頒佈了《謝爾曼反托拉斯法》和其它法律，以打擊限制貿易的壟斷行徑。

　　在 20 世紀 30 年代，美國許多行業都處於經濟管制之下，價格、

市場進出條件、安全標準等都由政府確定。從那時起，受管制的產業包括航空、公路貨運、水運、電力、汽油、公用電話事業、金融市場、石油、天然氣和管道運輸。

除了管理價格和企業標準外，國家還試圖通過越來越嚴格的社會管制以保護公民的健康和安全。20世紀初，繼仗義執言的記者對一些問題揭露之後，有關食品衛生和藥品的法案得以通過。在20世紀60~70年代，國會又通過了一系列法律，包括加強礦山安全和勞工安全；控制空氣和水的污染；制定汽車和消費品的安全標準；控制礦山開採、核動力發展及有毒廢物的排放。

近20年來，政府的管制有所放鬆。經濟學家們已經令人信服地說明，許多經濟管制限制了競爭，使得價格上陞而不是下降。第一個主要的聯邦管制機構——州際商業委員會——在成立100年後已經被撤銷了。在社會管制領域，經濟學家們開始強調：管制的收益必須大於成本。

但是，仍然不可能回到自由放任的時代。政府的管制改變了資本主義的性質，私有財產越來越不完全地由私人控制；自由企業越來越不自由。歷史的發展是不可逆轉的。

……

政府的核心經濟目標是 明社會按其意願配置資源。這是政府政策的微觀經濟方面，它集中於經濟生活中的生產什麼和如何生產這兩個問題。各國微觀經濟政策由於風俗習慣和政治哲學的差異而各不相同。有些國家強調一種政府放手、自由放任的方式，讓市場做出大多數的決策；另外一些國家傾向於廣泛的政府管制，甚至控制所有權，

生產決策多由政府計劃者做出。

美國基本上是市場經濟，在任何微觀經濟問題上，大多數人認為市場會解決現時的經濟問題。但有時，政府也有充足理由凌駕於市場供求之上而做出配置決定。……換句話說，政府經常運用自己的工具來矯正那些顯著的市場不靈，其中最重要的是：

完全競爭的破壞。當壟斷或寡頭廠商合謀減少競爭或將其它廠商驅逐市場時，政府可以採取反托拉斯政策或進行管制。

外部性和公共品。不受管制的市場可能產生過多的空氣污染，並使公眾健康或教育方面的投資不足。政府可以運用其影響控制有害的外部性，或者建立一些科學及公共健康項目；政府可以對那些產生外部成本的活動（如吸煙）徵稅，還可以為那些對社會有益的活動（如教育或產前保健）提供補助。

不完全信息。不受管制的市場為消費者提供的信息往往太少，使消費者不能基於完善的信息來進行決策。以前，有的小販沿街叫賣蛇油藥。這種藥有可能治好病，但同時也有可能致人死亡。於是有了對食品和藥品的管制，要求製藥公司在銷售新藥之前提供有關其安全性和有效性的大量資料。而且，政府還要求廠商提供有關電冰箱和熱水器等主要家用電器的節能效率的信息。此外，政府還可以通過公共支出，自己收集和向市場提供這方面所需要的信息，就像它收集交通事故和汽車安全資料的情況一樣。

（節選自〔美〕薩繆爾森著，蕭琛主譯《經濟學》第 18 版，人民郵電出版社 2007 版）

編選說明 ●●●

保羅・薩繆爾森（Paul A.Samuelson，1915—2009），當代凱恩斯主義的集大成者，首次將數學分析方法引入經濟學，1970 年成為第一位獲得諾貝爾經濟學獎的美國經濟學家。其代表作：《經濟分析基礎》、《經濟學》。

目前，《經濟學》作為一部經典教科書，風靡世界，成為許多國家制定經濟政策的理論根據。在該書中，薩繆爾森主張採取凱恩斯主義的宏觀財政政策和貨幣政策來調節資本主義的經濟活動，使現代資本主義經濟能避免過度的繁榮或蕭條而趨於穩定的增長，實現充分就業。其實質上是對市場自行調節機制與政府干預調節的綜合。本節文字前部分敘述了美國對經濟事務的管制歷史──從自由放任到政府管制再到管制的放鬆，後部分分析了管制的根本原因──市場失靈。

布坎南

徵稅權與憲法

　　對於普通公民來說，徵稅的權力是其最熟知的政府強制力的表現。徵稅的權力涉及強迫個人和私人機構交費（charges）的權力。這種收費只能通過向政府轉移經濟資源來進行。或涉及對這些資源的財政索取權（financial claims）——這種收費伴隨有在嚴格的徵稅權意義上的有效實施權。不錯，政府也用稅收提供公民——納稅人所欲求的公共產品或轉移支付。但是這裏我們必須對兩件事做出嚴格的區分，一是為政府擁有的徵稅權提供理由（rationalization），一是對這種徵稅權力本身的理解。徵稅權本身並不包含著使用這些以任何特定方式徵集的收入的義務。徵稅權在邏輯上並不隱含著支出的性質。

　　從這個角度看，「徵稅」的權力不過是一種「索取」（take）的權力。如果政府希望獲得具體的一份財產，那麼無論是簡單地採用直接佔用的方式，還是採用一種購買方式，在購買時對原所有人徵收一種稅，其稅額相當於全部購買價格，這兩種情況的區分無關緊要。在政府採取行動後，政府和該財產的所有者的處境是不變的，無論政府的佔有手段確切細節如何。因此，若要堅持索取和徵稅兩者之間的差別，稅收方案必須包含一些在直接佔有情況下不存在的附加要求。例如，用某種普遍性或統一性要求來約束徵稅權，即要求處境相同（比如有著同樣規模的財產淨額）的所有個人應當支付等額的稅，那麼直

接佔有的做法有可能通過選舉審查（electoral scrutiny）這一關，而徵稅的做法有可能通不過。在這種情況下。普遍性要求可以確保（或更準確地說，增加了這種可能性）選舉過程在可以容忍的限度內進行：財政約束補充了選舉約束。

還存在著另一些例子。在這些例子裏，財政約束實際上可以替代選舉約束，也就是說，即使在選舉約束失效時它們仍然有效。但是在任何情況下，財政規則的作用是限制和恰當控制政府的強制力，這種強制力最顯著地體現在它的徵稅權上。

當然，歷史地看，政府一直擁有真正的徵稅權力，儘管公民代表似乎認識到了這種權力的無所不在的重要性。對統治者的控制，一直是通過對徵稅權的約束來實現的。英國議會通過限制君主的稅收而處於支配地位，這是我們政治遺產的一部分。即使在 10 世紀後期的集體支配時代，大多數國家仍對政府徵稅活動保有名義上的法律約束。

所有的立憲規則，都可以被解釋為對潛在的權力的限制。

……

不過，我們認為可以提供正面的理由，來為把立憲視角運用於稅收問題提供辯護。我們認為，在納稅人的立憲選擇問題上存在著實質性的分析內容，無論是從概念角度還是經驗論角度看都是如此。我們認為，我們的分析可以使人們在很大程度上理解 20 世紀 70 年代後期抗稅行動中反映出來的納稅人態度。不過，也許更為重要的是，我們認為納稅人的立憲選擇計算，為推導出稅制改革的可能規範提供了惟一合理的基礎。運用這一計算使得我們能夠表明真正稅制改革的可能方向，也許能夠證明，從立憲決策階段來評估的話，這種稅制結構的

變革對所有公民—納稅人都是有利的。

標準分析對「期內」稅負的先入之見，實際上否認了納稅人之間達成同意的可能性。每個納稅人完全認識到自身的經濟處境；而且稅制改革的「博弈」屬於嚴格意義上的零和博弈。在這種情況下，惟一可能的出路是求助於具體規定一種「公平」稅制會是什麼樣子——即每一位納稅人「應該」面對什麼樣的納稅負擔——的外在規範。而且這些規範必須是外在的，因為不同個人對什麼是可欲的稅收負擔分配的（內在）評價必定是相互排斥的。

但是，當我們轉向立憲背景時，同意的範圍似乎自然擴張。對於納稅人的未來處境存在著廣泛的無知，這使得個人脫離了他認為自己在任何周期內的背景下所擁有的可辨識的特殊利益。在這一立憲背景下，才有可能對終極性「稅制改革」採用一般化的契約主義標準。特定的財政制度可以指定為「好的」或可欲的，因為個人同意它們是可欲的。得到採用的規範性判斷，來自立憲共識本身，而不是來自一個自以為與上帝同在的人的道德良知。

應該清楚，無知之幕可能是不完整的，對備選規則的動作情況的闡釋和預言也可能各不相同。可能只有在許多討論、妥協以及完成對備選立憲條款的複雜交易之後，才會出現同意。不能指望每個人或事實上任何人會認為，任何得到同意的憲法是「完美無缺」的——但是就我們所指意義上的可欲性而言，憲法得到同意，這就足夠了。

（節選自〔美〕布坎南著，馮克利等譯《憲政經濟學》，中國社會科學出版社 2004 版）

編選説明 ● ● ●

　　詹姆斯・布坎南（James Buchanan，1919—），美國著名經濟學家，公共選擇理論和非市場決策的經濟研究方法的奠基人，1986 年獲得諾貝爾經濟學獎。代表作主要有：《同意的計算》、《自由、市場與國家》等。

　　布坎南的公共選擇理論，將擔任政府的公職人員看做是與市場主體一樣的經濟人，因此，政府干預市場經濟並非一定有效，即「政府失靈」。由此布坎南認為，需要對政府干預行為進行憲法約束。本文針對現代政府的徵税政策，他提出了從憲政主義視角的税制改革。一方面，對徵税進行憲法限制，否則人們無法免於政府對財產的侵犯或剝奪；另一方面，基於憲法的視角，可以為税制改革提供唯一合理的基礎，使得改革對所有的納税人都有利。也就是說，在立憲的背景下，每一個納税人會對税制改革出現一致的同意。

諾思

合約實施的制度演進

　　某些特定的創新及制度手段的演進，是兩種基本的經濟力量相互作用的結果，一種是與貿易量增長相連的規模經濟，另一種是實施機制的改善與發展，使得合約以低成本實施成為可能。確切地講，因果關係是沿著兩種方式進行的。也就是說，長距離貿易量的日益增加，提高了商人設計有效的合約實施機制的報酬率，而且這類機制的發展又降低了合約完成的成本，並使貿易更為有利可圖，從而也使貿易量遞增。

　　當我們考察實施機制的發展時，我們會看到，這一進程是很長的。儘管有許多法院在處理商業糾紛，但商人們自己實施協議機制的演進也是十分有意思的。可實施性可能是在內部行為準則對在指導商人的兄弟般秩序的發展中開始的；那些不履行諾言的人會受到被排斥的威脅，商人們在長距離貿易中會銘記這些行為準則。因此，比薩法律在馬賽的航海上準則中也通用。奧雷隆和魯貝克產生了歐洲北部的法律，巴賽隆納產生了歐洲南部的法律，而意大利則產生了保險與匯票的法律原則。

　　更為複雜的會計方法的發展和這類方法的使用以及糾紛事件中的公證記錄，使得證據成了確定糾紛事實的基礎。自願合約實施結構與由國家實施的內部商業組織的逐漸融合，是合約越來越具有可實施性

的一個重要部分。商人法從自願開端與普通法和羅馬法在解決問題的
不同的長期演進是這個過程的一個部分。這兩類法律從一開始就互不
相容，這在保險合同中出現道德危險和信息不對稱時以及在交換中出
現欺詐行為時尤其如此。關於商人準則的法律是由英國的普通法法院
所採納的，且繼續按商事法的最高初旨來執行，也就是說，作為一項
法律，它是以習俗為基礎的。案例偶而也會被制定成特定的規則，因
為它無法將習俗與事實分離開來。當習俗為事實所支持時，其習慣
是：將習俗和事實交付給陪審團，法官將委託陪審團來決定與應用習
俗。這一政策最終也發生了變化，當曼斯費爾德勳爵於 1756 年成為
英國高等法院的首席法官時，他沉湎於現存習俗，並建立了一些用於
裁決未來案例的一般原則。他不太喜歡英國人的普通法，因此，他所
確立的許多原則是從外國法學家的著作中派生出來的。

　　法律商人除了為商人的獨特需要提供所必需的法院外，還促進了
某些旨在降低交換的交易費用的重大發展。在這些發展中可能包括委
託人對其代理人的責任的認可〔它建立於委託契約（mandate）的羅
馬法基礎上〕。它既產生了收益，也招致了成本，它允許商人擴大他
的經營範圍及增加代理者人數，但同時也增加了委託──代理問題，
這一法律認可最初只是對委託人已熟知的代理人有效。事實上這一般
是給予代理人以信譽，因為一般來說，代理人會按主人提供給他們的
明確機會行事，這也使代理人自己受益。不過與此同時，為了控制委
託──代理問題，也會在此時利用特權。在代理人將委託人給他的信
譽特權擴展來從事個人交易時，商人可以用使代理人喪失目前地位的
辦法，來提高他這樣做的機會成本，如果代理人濫用他的地位，他失

去的將不僅僅是他的工作，而且還有信譽的價值。

　　商事法規對合約及銷售的效應尤其促進了貿易的擴大，既有的羅馬法和德意志法並沒有為商人提供他們在談判中所需要的穩定性和確定性，沒有任何一項法律能保護商人們所購買的物品在失竊後的原先所有者的權利。封建地主對集市和市場價值的認識只限於它是收入的一個來源，以及具有保護誠實買者的重要性。在商事法規下，如果物品再回到原先的所有者手中，誠實的買者被允許保有其物品或償還其購買價格。

　　對誠實買者的保護不是普通法的一部分。不過在商業糾紛中，良好的信譽原則較早就在一個更大的範圍被使用（羅馬契約法的基礎源於公元 200 年）。它首先是從集市契約演進而來的。在集市上的銷售只有在契約上簽印後方可生效。它起初是一個自願的措施——集市的習俗允許通過證人來定借貸合同簽約，避免欺詐和同時以使收益增加的期望，需要有一個使所有的銷售都能通過一個密封的契約所認可的法律，一旦密封，其契約即行生效，它只有在其封條被證明是偽造的時候才無效。

　　商人法的許多規則之所以得以發展，是由於普通法妨礙了貿易。例如，當被竊物品完全回到原先的所有者手中時，普通法未能保護誠實的買者。這就向商人提出了一個很重大的問題：即要完成這一搜尋所需的成本和時間是抑制性的；且造成了第一個作為普通法例外的商事法規的形成，這種狀況 13 世紀至 16 世紀的發展可以通過對擁有欺詐權力的物品買者的處置方式來衡量。在 13 世紀，當物品的購買者發現所購物品與所要求的不符合時，他會將它們退回給物品的所有

者。到艾德蒙茲‧科克於 1606 年被任命為首席法官時，對一種物品的最終（信譽良好的）購買者在某些法院被承認對物品具有唯一可行的權利。這使得他所進行的任何合法購買都能以合法的方式回到所有者那裏。

（節選自〔美〕道格拉斯‧C担諾思著，劉守英譯《制度、制度變遷與經濟績效》，上海三聯書店 1994 年版）

編選説明 ● ● ●

道格拉斯‧C担諾思（Douglas.C.North，1920—），新經濟史的先驅者，由於「制度變遷理論」而獲得 1993 年諾貝爾經濟學獎。其代表作主要有：《西方世界的興起：新經濟史》、《制度、制度變遷與經濟績效》等。

經濟增長的原因是什麼？與傳統觀點將其歸結技術革新不同，《制度、制度變遷與經濟績效》一書認為，經濟增長的根本原因在於改進和創新制度以降低生產和交易成本。在西歐，降低交易成本的制度創新主要包括：與影響資本流動性有關的匯票、貼現制度以及委託人對代理人的監督程序，將不確定性轉化為風險的海上保險制度，為保障合約的實施在普通法和羅馬法之外產生的商人法。在制度演進中，國家扮演了重要角色，但是同時又必須依賴於對國家行為的約束和非人格化規則的發展。本文解釋了商事法律制度的演進。

波斯納

● ● ●

刑罰的經濟分析

　　償付能力的限制（limitations of solvency）使罰金徵收成本隨著罰金數額的上陞而上陞──而且對大多數刑事罪犯而言，成本很快就變得過高。這解釋了所有刑事司法制度都嚴重依賴於非金錢制裁──現在最普遍的是徒刑──的理由。徒刑通過減少罪犯在監禁期間的收入而對他施加金錢成本，它同樣明顯地施加了非金錢成本。

　　由於罰金和徒刑是對違法者施加負效用的兩種完全不同的方法，所以聯邦最高法院將在被告無能力或不願支付罰金情況下對罪犯改科徒刑的判決看作是對窮人的歧視，這種觀點是錯誤的。對某個特定的個人而言，我們可能會發現一個以一定數目金錢折抵若干監禁時間的換算率。但也許最高法院所真正反對的是這樣一個事實：大量刑事成文法確立了對有產者非常有利的換算率。500 美元是一種比監禁 100 天更為適當的處罰（威廉斯訴伊利諾斯州案，Williams v. Illinois），即便對低收入的人也是如此；但對其它人──即那些最有可能以支付罰金代替在監獄中服刑的人──而言，它也是一種輕微的懲罰。

　　從經濟學的角度看，我們應該鼓勵適用罰金而不是徒刑。原因不僅是因為徒刑不為國家創造歲入，而罰金創造了歲入，還在於徒刑的社會成本要高於從有償付能力的被告處徵收罰金的社會成本。建築、維修、管理監獄存在著成本花費（而其中只有部分可以通過罪犯不在

監獄時引起的生活費用之外的節省而得以彌補），還存在著被監禁的個人在監獄期間的合法生產（如果有的話）損失、監禁期間對他產生的負效用（這也不會與罰金一樣對國家產生相應的收益）和他獲釋後合法活動生產率的減弱。此處的損害不是由定罪的恥辱引起的，因為恥辱與處罰的特定形式無關（雖然與嚴厲度有關），它是由監禁期間的技能貶值和聯絡損失（簡言之，即囚犯人力資源的貶值）所引起的。由於對合法就業收入的喪失是犯罪的一種機會成本，所以囚犯合法收入預期的減少會減低其犯罪活動的成本從而增加其獲釋後重新犯罪的可能性。但徒刑也能取得一種罰金無法取得的收益：它能防止罪犯被關在監獄的那段時間內犯罪（無論其在監外如何）。

在用其它可選擇的懲罰替代徒刑的作用方面，我們有許多工作可做。罰金可以通過分期付款而使支付成為可能。它們可以按收入的比例在其範圍內支付，而非依照一個固定的金額支付。不允許從事特定的職業可被用作一種制裁，也可將行動自由限制（現在經常是這樣做的）在從事生產性活動的範圍內，例如，只在晚間和周末施行監禁。但其中的有些辦法並非完全不受撤銷監禁的影響。依分期付款形式支付或依未來收入比例支付的罰金可能會減少罪犯的合法活動收入從而也降低了他選擇這種與犯罪活動相對的活動的激勵，不允許從事特定的職業也是如此。

但是，取得更多罰金最有效的方法就是將施加非金錢性重刑作為一種替代性選擇。可以肯定，如果罪犯不支付對他們處以的高額罰金就會被處決，那麼罰金的徵收就會得到極大的改善。引起聯邦最高法院對「不能」對其犯罪行為支付罰金的罪犯處以徒刑這種普遍做法進

行譴責的罰金與監禁日期的「歧視性」平衡，可能是一種有效率的做法。它很奇怪地反而增加了罰金的收入，從而比在罰金和徒刑相分離的制度下更少地使用徒刑這種刑罰。

如果當罪犯有支付能力的情況下罰金確實是一種比監禁更有效的處罰方法，那麼我們如何才能解釋為處罰經濟性、非暴力的中產階級犯罪——如價格固定、漏稅、證券詐騙、賄賂等犯罪——而越來越多地運用監禁性重刑呢？不僅因為其中的大多數罪犯都能支付高額罰金，而且是即使在支付能力內的罰金不足以構成威懾，施加某些罰金的可能性也降低了最佳監禁刑期。無疑，現代美國令人驚奇的財富也為巨額經濟犯罪創造了機會，但這也增加了罪犯能夠支付大額罰金的可能性。而且，經濟犯罪處罰的恥辱效果可能是很大的。一個人的收入能力越大，那麼因定罪對其收入能力的極大影響所造成的潛在損失就越大。而且，上層階級要比下層階級更依賴於交往網路和工作安排以取得其收入，而當一個人被認定為嚴重犯罪時，他的交往網路就會崩潰。如果我們前面效用和死亡風險之間的非線性關係分析是正確的話，那麼即使是數百萬美元的詐騙，其所產生的社會成本也比殺害一個無用的人所產生的社會成本低。最後，許多經濟「犯罪」（例如內幕交易）正如我們在以後幾章要看到的那樣，存在著有分歧的福利意義；很明顯，對不造成嚴重危害的犯罪處以嚴刑是一種不明智的行為：對巫術和妖術提起公訴就是教訓。

由於即使長期徒刑也可能沒有將等同於受害人損失的成本加於謀殺犯，這為對謀殺罪判處死刑提出了一種可能的經濟合理性。死刑將大約等於其行為成本的成本加於一名已決謀殺犯。看起來好像重要的

不是等同於受害人成本的對謀殺的刑罰，而是成本過於高即使謀殺犯無力支付──並且對某人餘生的監禁的確會對謀殺犯產生高於其可能從謀殺得益的成本。但這種分析其實已將查獲和定罪幾率看作 1。如果它低於 1──當然它肯定是低於 1 的，那麼謀殺犯就不會將犯罪收益與他被查獲和判刑的成本相比較了，而是要將犯罪收益與按他將被查獲和判刑的幾率折算後的判刑成本相權衡了。

　　這一死刑的論證並不是結論性的。由於這種刑罰的過於嚴厲和不可逆轉性，錯判所導致的成本就非常高，所以在死刑案訴訟中將要投入更大量的資源。如果死刑的增量威懾效果比長期監禁小，那麼額外的資源投入就可能是不合理的。但有證據卻能證明，死刑的增量威懾效果是很大的。

（節選自〔美〕波斯納著，蔣兆康譯《法律的經濟分析》（上），中國大百科全書出版社 1997 年版）

編選説明 ● ● ●

　　波斯納（Richard Allen Posner，1939─），美國聯邦上訴法院法官，「法律經濟學」的奠定者。其代表作有：《法律的經濟分析》、《正義司法的經濟學》。

　　一般認為，波斯納的法律經濟學的要義，就是經濟效益是取捨某一法律制度的最高標準。在刑法領域，制定最佳刑事制裁的依據就是：一個人實施某種犯罪行為是因為犯罪的預期收益超過預期成本。

在本文中，他認為應該鼓勵適用罰金而不是徒刑，因為後者不僅不能像前者一樣為國家創造歲入，而且其社會成本也高於實施罰金的社會成本。不過，對於中產階級的經濟性犯罪徒刑卻應適應監禁性重刑，這主要是因為徒刑的恥辱性可導致他們潛在的巨大損失。對於死刑，雖然人們有諸多理由予以反對，但是其增量威脅效果大、查獲和定罪的概率小以及邊際威懾力支持了死刑的必要性。

柯武剛、史漫飛

制度何以重要

　　20 世紀新古典經濟學的主流，一般來說，已經假定制度是外部既定的，各類主體已很好地適應了制度。充其量新古典經濟學也只是將制度作為經濟模型中的一個複雜問題來處理。新古典經濟學的標準假設是，人們將無摩擦、無成本地從事商務交易活動。為了維護這種立場，人們認證說，都必須以抽象為基礎；一個人是從各種抽象中作出抽象概括的，但這些現象對其希望分析的事物來講並不重要。舉例來說，儘管重力現象對我們概括地理解物質世界極為重要，但我們並不明確地將重力納入對經濟增長的分析。

　　然而，這樣的辯解是完全不恰當的。制度減少著威脅人類活動的成本，因而它對於理解人際交往具有重要價值。我們可以用兩種方法來證明這一點，一種方法是舉出有說服力的日常例子，另一種方法是說明，在理論假設中排除制度已在經濟學知識中造成了關鍵的缺陷。

　　就日常生活層面來看，制度在幼稚園已經十分重要：可以看到，孩子們分得了玩具並明確這些玩具是他們的個人財產時，他們會愛護玩具，並能在受到鼓勵時慷慨地將自己的財產借給其它小朋友。但在另一方面，當所有玩具屬於全體兒童而不是特定個人時，他們就傾向於忽略他們的「資產」，並未擁有某一玩具而大家爭搶。能證明制度有助於實現其目標的另一個例子是貨幣。當人們必須通過物物交易而

不是自行生產來獲取其想要消費的物品和服務時，他在自己是否能夠獲得這物品和服務上面臨著極大地不確定性。他們能為自己種的蔬菜找到一個購買者嗎？誰想要他們想要的電腦程序來換這些蔬菜呢？更要緊的是，他們或許根本就無法知道他們能買什麼或想買什麼。但另一方面，如果有一種資產，它能被普遍接受為交易媒介（貨幣），它的供給和使用又受制於一套制度，那麼與物物交易方式相比，人們對自己能獲得所需之物的信心就會大大增強，他們的搜尋成本和交易成本也會低得多。所以，貨幣有助於節約協調成本。

就實際的經濟政策層面來看，近年來，標準的新古典主流經濟學在解釋和預測實際世界的現象上一再遭到失敗，因為他將制度和制度存在的理由排除在其模型之外。例如，在解釋經濟增長過程方面，標準經濟學的貧乏已變得一清二楚。發展中國家裏的政策建議經常是牛頭不對馬嘴，因為許多經濟顧問都慣於假設制度是無關緊要的。在實踐中，許多引進的概念遭到失敗。因為發展中國家的制度與發達國家的制度大相徑庭，而要使特定的政策概念起作用就必須修改當地原有的制度。因此，現代生產和商業能賴以繁榮的制度框架不能被習以為常的視為自然天賜。而西方經濟學家正是在這樣一種思維傳統中培養出來的，他們沒有準備好來診斷為什麼持久的增長實現不了，以及應怎樣來矯正這種狀況。有說服力的是，對新古典經濟學的最關鍵檢驗來自前蘇維埃帝國中命令經濟的停止和最終瓦解。西方經濟學家——以及由新古典經濟學家佔據的國際組織——未能預見到這一劃時代的事件，並且在起初無法給出恰當的建議。這是因為他們忽略了制度。從根本上講，社會主義遜位所提出的挑戰是要求創建和培育像私人產

權、契約法和一般法律規則那樣的基本制度。

　　還有另一種方式可以闡明相同的基本觀點。這就是注意考察在現代經濟生產和分配國民產品的總成本裏，協調成本所佔份額的居高不下和不斷上陞。服務部門的很大一部分──這一部門在經合組織（OECD 經濟）國家的總產出中佔了 66%以上──與推動交易活動和組織人際交往有關。現代經濟的「協調部門」對促進勞動和知識的分工來講是必要的，我們的生活水準就是以這種分工為基礎的。如果像新古典經濟學家那樣，假設不存在交易成本從而也不需要節約這些成本的規則，則先進國家中過半數的經濟努力，即服務部門中那些大型的和快速增長的處理交易和協調功能的部分，都會被棄置一邊。通過低估協調問題，新古典經濟學使自己的分析偏重於生產和實際的分配。因此，對於大量涉及組織和協調供求雙方決策的現代商務活動來講，這種理論變得很不適宜。

　　相似的盲點還是無法診斷下屬現象的原因：存在大量政府管制的福利國家為什麼正經歷著經濟衰退、高失業率、日益增長的不信任和廣泛的選民不恭。在支配民主國家的利益集團中，基本制度──諸如可靠的產權、自我責任心和法治──的逐漸消逝和衰敗常常並沒有引起人們的關注意。回歸過去的途徑難以尋覓，因為制度變遷並不是多數經濟學家分析的內容。

　　經濟史學家們也在很早以前發現（也許他們當時實際上是無意識的），制度變遷是其研究領域中重要的和激動人心的部分。……還有一點也已變得很清楚，即標準經濟理論對企業經濟學的價值很有限。許多實踐中的企業人士自然而然的發現，經濟學理論是貧乏的、抽象

的，不合他們的要求。這就是制度經濟學最近的復興部分地來源於企業史、經濟社會學、「新組織學」和「法與經濟學」的原因。這些學科為了能提出較恰當的實踐性建議，已明確地將制度納入了他們的各種模型。

（節選自〔德〕柯武剛、史漫飛著，韓朝華譯《制度經濟學》，商務
印書館 2004 年版）

編選説明 ● ● ●

柯武剛（Wolfgang Kasper)，德國經濟學家，澳大利亞新南威爾士大學教授。史漫飛（Manfred E.Streit），德國經濟學家，德國馬克斯-普朗克經濟體制研究所教授。

《制度經濟學》是目前國內現代制度經濟學入門的最佳讀本，例如該書對「制度」的解釋為：維護人們交往秩序的一般性規則。本文就「制度在經濟秩序中為何重要」這一問題進行了深入淺出的闡釋。從日常生活層面來看，貨幣制度來保障我們簡便而可靠地獲得所需要的物品和服務，而「物物交易」的方式將導致搜尋成本和交易成本大增；從實際的經濟政策層面來看，忽視制度的新古典經濟學在解釋和預測經濟現象一再遭到失敗。簡而言之，如果沒有制度，我們的生活成本將大為提高，國家經濟也會停滯不前甚至衰退。

陳志武

●●●

政府窮民間富催生民主與法治

　　美國的起點是政府窮、民間富，逼著政府求助於金融債券、求助於民間稅賦。西歐民主國家的興起也大致如此。除了法國等少數國家外，歐洲城邦歷來沒有強勢、富有的政府。像荷蘭、意大利城邦國家，在經歷中世紀後期連續不斷地戰爭之後，城邦政府基本都負債累累，是典型的「政府窮民間富」社會。那時期，政府的戰爭融資需要也是推動債券市場最先在意大利城邦和荷蘭發展的主因。

　　英國跟法國的經歷形成極有意義的反差。雖然英國王室在 17 世紀英國革命前就逐漸出售皇家土地，但是，即使到英國內戰開始的 1642 年，皇室家產收入以及一直以來的稅收還是不少。但是，1642 至 1649 年的長期內戰消耗皇家資源，到 1649 年查理一世國王被送上斷頭臺、英國共和國成立後，皇家土地被沒收並低價出售。等到查理二世國王於 1660 年回到英國、重新登基時，皇家土地所剩無幾，自己的收入已無法支持皇家日常開支，更無法供養其軍隊，皇家很「窮」了！在這種情況下，英國議會通過法案，今後每年由議會從政府稅收中撥款 120 萬英鎊，供皇家自用，但是有幾個條件，第一，政府徵稅權必須由議會控制，國王無權決定；第二，議會有權每年審查皇家的開支情況，包括戰爭開支以及其它日常開支；第三，皇家新增開支專案，必須經過議會的程序。這樣，在皇家所代表的「國家」與

議會之間，有了相互制約的權力架構。

　　有意思的是，儘管皇家的經費在 1660 年後受到議會的監督，到 1680 年代初，查理二世的財務狀況又出現膨脹。通過節約開支、改善收稅機制，皇家金庫照樣能累計增長。1685 年查理二世去世，由其兄弟詹姆士二世繼位。皇家財大氣粗之後，王權又不斷膨脹，詹姆士二世國王隨即解散議會，將權力集中於自己手中。這樣就為 1688 年的「光榮革命」製造了前提，當年，英國人求助於荷蘭王子威廉三世，請求他與妻子瑪麗（詹姆士二世的女兒）回英國，之後，他們來到英國，逼著詹姆士二世逃亡法國，威廉三世與瑪麗此後登基為英國的國王和王後。作為威廉三世繼承王位的條件，英國議會要求威廉三世簽署《人權法案》（Bill of Rights），保證國王不會侵犯公民權利，也要求他簽署其它法律，保證王室不會廢除議會通過的法律、徵稅繼續由議會掌握、皇家召集軍隊必須先經過議會、公民有權擁有槍支武器、公民有言論自由，等等，這些法律奠定現代英國自由與民主制度的框架。

　　當然，還有就是，皇家的開支繼續由議會支配。光榮革命之後，英國政府的開支增加，而老百姓的稅賦已經足夠高。在皇家財產不多、稅收增長又有限的情況下（「窮政府」），國債成為英國發展的必需。1693 年，英格蘭銀行成立，其核心任務是幫助政府發行國債，但國債的決定權由下議院掌握，而不是由國王控制。英國的自由、民主、法治，就這樣跟「窮政府」加國債金融市場相伴為孿生兄弟，同步發展。

　　法國的早期經歷跟英國的相反。在光榮革命之前的一個多世紀，

英國皇室不斷出售土地，使其自身越來越「窮」，隨後被迫受制於議會的財務控制。法國的傳統則不同，國王登基時，必須宣誓無論如何不會出售皇家土地，於是，土地財產收入和稅收加在一起，是法國王室從 14 世紀到 17 世紀一直是歐洲最富有的王室。也正因為王朝太富，不需要通過議會這樣的民意機構為其徵稅創收，跟同期歐洲國家比，法國的議會制度在 14 世紀至 16 世紀發展緩慢，以至於到 18 世紀末法國大革命前，其王權專制程度勝過西歐其它國家。甚至到今天，法國文化對政府集權的認同、嚮往程度仍然高於英國、荷蘭甚至德國。

　　從美國、西歐與政府富有的其它國家的不同經歷中我們看到，自由、民主、法治跟財富在國家與民間之間的配置結構有著很微妙的相互關係，也因此使得自由、民主、法治對金融市場有明顯的依賴。

　　第一，國庫錢越多、朝廷銀庫越滿，國王、皇帝肯定能專制，而且也會更專制，因為他們不需要靠老百姓的錢養活，不需要向金融市場借錢；相反，越是朝廷或政府負債累累的國家，其國王、政府就必然依賴老百姓交稅，有求於百姓，財務約束最終能制約王權、促進民主與規則的發展。所以，民主的國家不能擁有財產、擁有經營性企業，至少不能有太多國有企業，而是讓政府靠稅收運作，政府靠每年的稅收才能有錢花。那麼，是不是徵稅越多越好呢？當然不是，稅要少到剛好能支持國家的經常性開支，包括維護社會秩序、保障社會的基本生活安全、保護私人財產、維護契約權益、維持市場秩序的開支的程度。那麼，如果出現天災人禍、戰爭、經濟危機等，這些非經常性、長期公共項目開支怎麼辦呢？這就需要金融市場的支持。政府通

過發行國債、特別公債，把這些非經常性開支平攤到未來許多年，由未來每年的稅收補充。

　　第二，就如當年美國三隻國債所表現的，國債的存在與交易給市場提供了評估政府政策與制度優劣的具體工具，通過國債價格的上漲下跌，立即反映市場對國家未來的定價、對具體政策與制度的評估。只要國家的負債足夠高、只要繼續發債的需要還在，國債價格的下跌必然逼著政府對其政策或法律制度做出修正。公民投票是民主制度的重要形式，但投票無法天天進行，而證券市場對國家的監督、評估、定價卻是每時每刻的！所以，公債市場對政府權力的制衡既連續、又具體。美國和英國的興起過程如此，其它西歐國家的經歷要麼也如此，要麼就被金融市場所教訓！

（節選自〔美〕陳志武著：《金融的邏輯》，國際文化出版社 2009 年版）

編選説明 ● ● ●

　　陳志武（1962—），著名華人經濟學家、耶魯大學終身教授，其影響較大的著作有《為什麼中國人勤勞而不富有》、《金融的邏輯》等。

　　《金融的邏輯》一書從理論到事實對西方金融的發展和金融危機的實質予以正本清源，並創造性地從金融作為「大社會」中一分子的角度研究金融，對儒家文化進行金融學反思，直言發展金融是中國發

展的必由之路。尤值得一提的是，該書從梳理西方金融發展的歷史，得出一個結論：政府窮、民間富催生民主與法治。如英國國王因為財政緊張而不得不求助於議會，從而導致了君主立憲的產生，此後英國政府也因開支增加而不得不求助於國債，進而發展成了國債金融市場；而法國，由於法國國王富裕而無需求助於議會，從而導致法國議會制度發展緩慢。

擴展閱讀 ● ● ●

1. 《鄧小平文選》第 1、2 卷，人民出版社 1994 年版。

2. 〔美〕科斯著，盛洪、陳鬱等譯《社會成本問題》，載《企業、市場與法律》，上海三聯書店 1991 年版。

3. 〔美〕道格拉斯‧諾斯，羅伯斯‧湯瑪斯著，厲以平等譯《西方世界的興起》，華夏出版社 1999 年版。

4. 〔美〕詹姆斯‧M担布坎南著，平新喬等譯《自由、市場與國家》，上海三聯書店 1991 年版。

5. 〔英〕F.A.馮‧哈耶克著，鄧正來譯《個人主義與經濟秩序》，三聯書店 2003 年版。

6. 〔美〕羅伯特‧考特、湯瑪斯‧尤倫著，施少華等譯《法和經濟學》，上海三聯出版社 1991 年版。

7. 〔美〕康芒斯著，於樹生譯《制度經濟學》，商務印書館 1962 年版。

8. 〔美〕奧爾森著，陳鬱等譯《集體行動的邏輯》，上海人民出版社

1995 年版。

9. 〔美〕哈樂德‧德姆塞茨著，段毅才等譯《所有權、控制與企業——論經濟活動的組織》，經濟科學出版社 1999 年版。

10.〔美〕哈樂德‧德姆塞茨著，陳鬱譯《競爭的經濟、法律和政治制度》，上海三聯書店 1992 年版。

11.〔美〕波斯納著，蘇力譯《正義／司法的經濟學》，中國政法大學出版社 2002 年版。

12.林毅夫著《制度、技術與中國農業發展》，上海三聯書店 1994 年版。

13.吳敬璉著《呼喚法治的市場經濟》，三聯書店 2007 年版。

14.張千帆著《憲政、法治與經濟發展》，北京大學出版社 2007 年版。

15.張維迎著《產權、政府與信譽》，三聯書店 2001 年版。

16.錢穎一著《市場與法治》，載《經濟社會體制比較》2000 年第 3 期。

17.王小衛著《憲政經濟學：探索市場經濟的遊戲規則》，立信會計出版社 2006 年版。

18.孫林著《法律經濟學》，中國政法大學出版社 1993 年版。

19.高德步著《產權與增長：論法律制度的效率》，中國人民大學出版社 1999 年版。

20.彭漢英著《財產法的經濟分析》，中國人民大學出版社 2000 年版。

昌明文庫 . 悅讀經典 A0601002

一生必讀的中外經典名著‧法學卷

選　　編	鄧輝	
責任編輯	蔡雅如	
發 行 人	陳滿銘	
總 經 理	梁錦興	
總 編 輯	陳滿銘	
副總編輯	張晏瑞	
編 輯 所	萬卷樓圖書股份有限公司	
排　　版	菩薩蠻數位文化有限公司	
印　　刷	百通科技股份有限公司	
封面設計	菩薩蠻數位文化有限公司	

出　　版　昌明文化有限公司
桃園市龜山區中原街 32 號
電話　(02)23216565
發　　行　萬卷樓圖書股份有限公司
臺北市羅斯福路二段 41 號 6 樓之 3
電話　(02)23216565
傳真　(02)23218698
電郵　SERVICE@WANJUAN.COM.TW
大陸經銷
廈門外圖臺灣書店有限公司
　　電郵　JKB188@188.COM

ISBN 978-986-496-036-1
2017 年 7 月初版
定價：新臺幣 460 元

如何購買本書：

1. 劃撥購書，請透過以下郵政劃撥帳號：
　　帳號：15624015
　　戶名：萬卷樓圖書股份有限公司
2. 轉帳購書，請透過以下帳戶
　　合作金庫銀行　古亭分行
　　戶名：萬卷樓圖書股份有限公司
　　帳號：0877717092596
3. 網路購書，請透過萬卷樓網站
　　網址　WWW.WANJUAN.COM.TW
大量購書，請直接聯繫我們，將有專人為您
服務。客服：(02)23216565 分機 10

如有缺頁、破損或裝訂錯誤，請寄回更換
版權所有‧翻印必究
Copyright©2016 by WanJuanLou Books CO., Ltd.
All Right Reserved　　　　**Printed in Taiwan**

國家圖書館出版品預行編目資料

一生必讀的中外經典名著. 法學卷 / 鄧輝選
編. -- 初版. -- 桃園市：昌明文化出版；臺北
市：萬卷樓發行, 2017.07
　　面；　　公分. -- (昌明文庫. 悅讀經典)
ISBN 978-986-496-036-1(平裝)
1.推薦書目
012.4　　　　　　　　　　　　　106011520

本著作物經廈門墨客知識產權代理有限公司代理，由江西人民出版社有限責任公司授
權萬卷樓圖書股份有限公司出版、發行中文繁體字版版權。